Mein erstes Märchenbuch

Mein erstes Märchenbuch

Die schönsten Märchen der Brüder Grimm

Mit Bildern
von Silvio Neuendorf

EDITION
BÜCHERBÄR

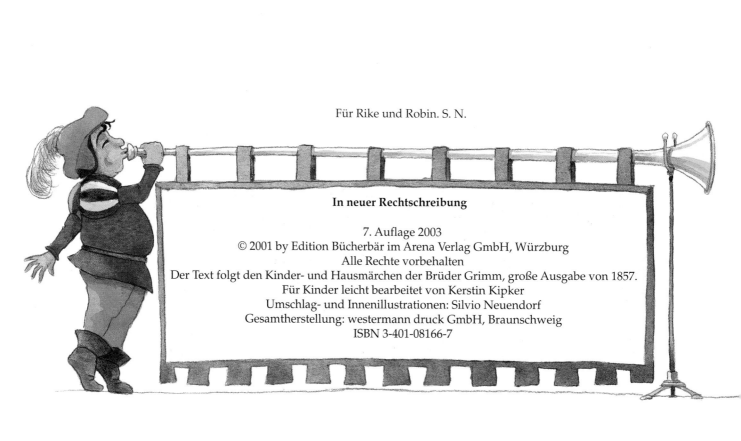

Für Rike und Robin. S. N.

In neuer Rechtschreibung

7. Auflage 2003
© 2001 by Edition Bücherbär im Arena Verlag GmbH, Würzburg
Alle Rechte vorbehalten
Der Text folgt den Kinder- und Hausmärchen der Brüder Grimm, große Ausgabe von 1857.
Für Kinder leicht bearbeitet von Kerstin Kipker
Umschlag- und Innenillustrationen: Silvio Neuendorf
Gesamtherstellung: westermann druck GmbH, Braunschweig
ISBN 3-401-08166-7

Inhalt

Rotkäppchen

Es war einmal ein kleines Mädchen, das hatte jeder lieb, der es kannte. Am allerliebsten aber hatte es seine Großmutter, die wusste gar nicht, was sie dem Kind alles geben sollte. Einmal schenkte sie ihm ein Käppchen aus rotem Samt, und weil ihm das so gut stand und es nichts anderes mehr tragen wollte, hieß es nur das Rotkäppchen.

Eines Tages sprach seine Mutter zu ihm: »Komm, Rotkäppchen, da hast du ein Stück Kuchen und eine Flasche Wein, bring das der Großmutter hinaus – sie ist krank und schwach und wird sich darüber freuen. Mach dich auf den Weg, bevor es heiß wird, und wenn du in den Wald kommst, so sei brav und lauf nicht vom Weg ab, sonst fällst du und zerbrichst das Glas. Und wenn du in ihre Stube kommst, so vergiss nicht Guten Morgen zu sagen, und guck nicht erst in alle Ecken herum.«

»Ich will schon alles richtig machen«, sagte Rotkäppchen zur Mutter und versprach artig zu sein. Die Großmutter aber wohnte draußen im Wald, eine halbe Stunde vom Dorf entfernt. Wie nun Rotkäppchen in den Wald kam, begegnete ihm der Wolf. Rotkäppchen aber wusste nicht, was das für ein böses Tier war, und fürchtete sich nicht vor ihm.

»Guten Tag, Rotkäppchen«, sprach er.

»Guten Tag, Wolf.«

»Wohin so früh, Rotkäppchen?«

»Zur Großmutter.«

»Was hast du in deinem Korb?«

»Kuchen und Wein. Gestern haben wir gebacken, und nun bring ich der kranken und schwachen Großmutter etwas davon, damit sie schnell gesund wird.«

»Rotkäppchen, wo wohnt deine Großmutter?«

»Noch eine gute Viertelstunde weiter im Wald, unter den drei großen Eichenbäumen, da steht ihr Haus, unten sind die Nusshecken, das wirst du ja wissen«, sagte Rotkäppchen. Der Wolf dachte bei sich: Das junge zarte Ding, das ist ein fetter Bissen, der wird noch besser schmecken als die Alte. Du musst es listig anfangen, damit du beide schnappst.

Er ging ein Weilchen neben Rotkäppchen her, dann sprach er: »Rotkäppchen, sich einmal die schönen Blumen, die rings umherstehen, warum guckst du dich nicht um? Ich glaube, du hörst gar nicht, wie die Vöglein so lieblich singen? Du gehst ja, als wenn du zur Schule gingst, und dabei ist es so lustig in dem Wald.«

Rotkäppchen schaute herum, und als es sah, wie die Sonnenstrahlen durch die Bäume hin und her tanzten und alles voll schöner Blumen stand, dachte es: Ein frischer Strauß würde der Großmutter Freude machen. Es ist so früh am Tag, dass ich trotzdem rechtzeitig ankommen werde.

Somit lief es vom Weg ab in den Wald hinein und suchte Blumen. Und wenn es eine gepflückt hatte, meinte es, weiter hinten stünde eine schönere, und lief dort hin und geriet immer tiefer in den Wald hinein. Der Wolf aber ging geradewegs zum Haus der Großmutter und klopfte an die Tür.

»Wer ist draußen?«

»Rotkäppchen, das bringt Kuchen und Wein, mach auf.«

»Drück nur auf die Klinke«, rief die Großmutter, »ich bin zu schwach und kann nicht aufstehen.«

Der Wolf drückte auf die Klinke, die Tür sprang auf und er ging, ohne ein Wort zu sprechen, geradewegs zum Bett der Großmutter und verschluckte sie. Dann zog er ihre Kleider an, setzte ihre Haube auf, legte sich in ihr Bett und machte die Vorhänge zu.

Rotkäppchen aber hatte Blumen gepflückt, und als es so viel zusammen hatte, dass es keine mehr tragen konnte, fiel ihm die Großmutter wieder ein und es machte sich auf den Weg zu ihr. Als es ankam und sah, dass die Tür aufstand, wunderte es sich. Und wie es in die Stube trat, so kam es ihm so seltsam darin vor, dass es dachte: Mein Gott, mir ist so ängstlich zu Mute und ich bin sonst so gerne bei der Großmutter!

Es rief: »Guten Morgen«, bekam aber keine Antwort. Darauf ging es zum Bett und zog die Vorhänge zurück: Da lag die Großmutter und hatte die Haube tief ins Gesicht gezogen und sah so merkwürdig aus.

»Ei, Großmutter, was hast du für große Ohren!«

»Damit ich dich besser hören kann!«

»Ei, Großmutter, was hast du für große Augen!«

»Damit ich dich besser sehen kann.«

»Ei, Großmutter, was hast du für große Hände!«

»Damit ich dich besser packen kann.«

»Aber, Großmutter, was hast du für ein entsetzlich großes Maul!«

»Damit ich dich besser fressen kann.« Kaum hatte der Wolf das gesagt, so sprang er mit einem Satz aus dem Bett und verschlang das arme Rotkäppchen.

Als der Wolf seinen Hunger gestillt hatte, legte er sich wieder ins Bett, schlief ein und fing an überlaut zu schnarchen. Der Jäger ging eben an dem Haus vorbei und dachte: Wie die alte Frau schnarcht, du musst doch sehen, ob ihr etwas fehlt. Da trat er in die Stube, und wie er vor

das Bett kam, so sah er, dass der Wolf darin lag. »Finde ich dich hier, du alter Sünder«, sagte er, »ich habe dich lange gesucht.« Nun wollte er sein Gewehr anlegen, da kam ihm der Gedanke, der Wolf könnte die Großmutter gefressen haben und sie wäre vielleicht noch zu retten. Deshalb schoss er nicht, sondern nahm eine Schere und fing an, dem schlafenden Wolf den Bauch aufzuschneiden. Wie er ein paar Schnitte getan hatte, da sah er das rote Käppchen leuchten, und noch ein paar Schnitte, da sprang das Mädchen heraus und rief: »Ach, wie war ich erschrocken, es war so dunkel in dem Bauch!«

Und dann kam die alte Großmutter auch noch lebendig heraus und konnte kaum atmen. Rotkäppchen aber holte schnell große Steine, damit füllten sie dem Wolf den Bauch. Und wie er aufwachte, wollte er loslaufen, aber die Steine waren so schwer, dass er gleich niedersank und sich zu Tode stürzte.

Da waren alle drei vergnügt. Der Jäger zog dem Wolf den Pelz ab und ging damit heim, die Großmutter aß den Kuchen und trank den Wein, den Rotkäppchen gebracht hatte, und erholte sich wieder. Rotkäppchen aber dachte: Nie wieder will ich allein vom Weg ab in den Wald laufen, wenn die Mutter es verboten hat.

Dornröschen

Vor Zeiten lebten ein König und eine Königin, die sprachen jeden Tag: »Ach, wenn wir doch ein Kind hätten!«, aber sie kriegten keins. Endlich jedoch brachte die Königin eines Tages ein Mädchen zur Welt, das war so schön, dass der König vor Freude ein großes Fest veranstaltete. Er lud nicht bloß seine Verwandten, Freunde und Bekannten, sondern auch die weisen Frauen dazu ein, damit sie dem Kind ihre guten Wünsche aussprechen würden. Es waren dreizehn in seinem Reich, weil er aber nur zwölf goldene Teller hatte, von welchen sie essen sollten, so musste eine von ihnen daheim bleiben.

Das Fest wurde mit aller Pracht gefeiert, und als es zu Ende war, beschenkten die weisen Frauen das Kind mit ihren Wundergaben: die eine mit Tugend, die andere mit Schönheit, die dritte mit Reichtum, und so mit allem, was man jemandem nur wünschen kann. Als elf ihre Sprüche ausgesprochen hatten, trat plötzlich die dreizehnte herein. Sie wollte sich dafür rächen, dass sie nicht eingeladen worden war, und ohne jemand zu grüßen oder nur anzusehen, rief sie mit lauter Stimme: »Die Königstochter soll sich in ihrem fünfzehnten Lebensjahr an einer Spindel stechen und tot umfallen.« Und ohne ein Wort weiter zu sprechen, kehrte sie um und verließ den Saal. Alle waren erschrocken, da trat die zwölfte hervor, die ihren Wunsch noch übrig hatte, und weil sie den bösen Spruch nicht aufheben, sondern ihn nur mildern konnte, sagte sie: »Es soll aber kein Tod sein, sondern ein hundertjähriger tiefer Schlaf, in welchen die Königstochter fällt.«

Der König, der sein liebes Kind vor dem Unglück gern bewahren wollte, ließ den Befehl ausgeben, dass alle Spindeln im ganzen Königreich verbrannt werden sollten. Die Wünsche der weisen Frauen aber erfüllten sich, denn das Mädchen war so schön, brav, freundlich und klug, dass es jedermann, der es ansah, lieb haben musste. Es geschah, dass an dem Tage, als es seinen fünfzehnten Geburtstag feierte, der König und die Königin nicht zu Hause waren und das Mädchen ganz allein im Schloss zurückblieb. Da ging es überall herum, besah Stuben und Kammern, wie es Lust hatte, und kam endlich auch an einen alten Turm. Es stieg die enge Wendeltreppe hinauf und gelangte zu einer kleinen Tür. In dem Schloss steckte ein verrosteter Schlüssel, und als es ihn umdrehte, sprang die Tür auf und da saß in einem kleinen Stübchen eine alte Frau mit einer Spindel und spann emsig ihren Flachs. »Guten Tag, du altes Mütterchen«, sprach die Königstochter, »was machst du da?«

»Ich spinne«, sagte die Alte und nickte mit dem Kopf.

»Was ist das für ein Ding, das so lustig herumspringt?«, sprach das Mädchen, nahm die Spindel und wollte auch spinnen. Kaum hatte sie aber die Spindel angefasst, so ging der Zauberspruch in Erfüllung und sie stach sich damit in den Finger.

In dem Augenblick aber, wo sie den Stich empfand, fiel sie auf das Bett nieder, das da stand, und lag in einem tiefen Schlaf. Und dieser Schlaf verbreitete sich über das ganze Schloss. Der König und die Königin, die eben heimgekommen und in den Saal getreten waren, fingen an einzuschlafen und der ganze Hofstaat mit ihnen. Da schliefen auch die Pferde im Stall, die Hunde im Hof, die Tauben auf dem Dach, die Fliegen an der Wand. Ja, selbst das Feuer, das auf dem Herd flackerte, wurde still und schlief ein und der Braten hörte auf zu brutzeln, und der Koch, der den Küchenjungen, weil er etwas falsch gemacht hatte, an den Haaren ziehen wollte, ließ ihn los und schlief. Und der Wind legte sich und auf den Bäumen vor dem Schloss regte sich kein Blättchen mehr.

Rings um das Schloss aber begann eine Dornenhecke zu wachsen, die jedes Jahr höher wurde und endlich das ganze Schloss umgab und darüber hinauswuchs, dass gar nichts mehr davon zu sehen war, selbst nicht die Fahne auf dem Dach. Man erzählte sich aber die Sage von dem schönen schlafenden Dornröschen, wie die Königstochter genannt wurde, sodass von Zeit zu Zeit Königssöhne kamen und durch die Hecke in das Schloss dringen wollten. Es war ihnen aber nicht möglich, denn die Dornen hielten fest zusammen, als hätten sie Hände. Und die Jünglinge blieben darin hängen, konnten sich nicht wieder losmachen und starben eines jämmerlichen Todes.

Nach langen Jahren kam wieder einmal ein Königssohn in das Land und hörte, wie ein alter Mann erzählte, es sollte ein Schloss hinter der Dornenhecke stehen, in welchem eine wunderschöne Königstochter, Dornröschen genannt, schon seit hundert Jahren schliefe. Und mit ihr schliefe der König und die Königin und der ganze Hofstaat. Er wusste auch von seinem Großvater, dass schon viele Königssöhne gekommen wären und versucht hätten die Dornenhecke zu durchdringen, aber sie wären darin hängen geblieben und eines traurigen Todes gestorben. Da sprach der Jüngling: »Ich fürchte mich nicht, ich will hinaus und das schöne Dornröschen sehen.« Der gute Alte mochte ihm abraten, wie er wollte, er hörte nicht auf seine Worte.

Nun waren aber gerade die hundert Jahre vorbei und der Tag war gekommen, wo Dornröschen wieder erwachen sollte. Als der Königssohn sich der Dornenhecke näherte, bogen sich die großen schönen Blumen wie von selbst auseinander und ließen ihn unbeschädigt hindurch und

hinter ihm bogen sie sich wieder zu einer Hecke zusammen. Im Schlosshof sah er die Pferde und scheckigen Jagdhunde liegen und schlafen, auf dem Dach saßen die Tauben und hatten das Köpfchen unter den Flügel gesteckt. Und als er ins Haus kam, schliefen die Fliegen an der Wand, der Koch in der Küche hielt noch die Hand, als wollte er den Jungen anpacken, und die Magd saß vor dem schwarzen Huhn, das gerupft werden sollte. Da ging er weiter und sah im Saal den ganzen Hofstaat liegen und schlafen und oben bei dem Thron lagen der König und die Königin. Da ging er noch weiter und alles war so still, dass einer seinen Atem hören konnte, und endlich kam er zu dem Turm und öffnete die Tür zu der kleinen Stube, in welcher Dornröschen schlief. Da lag es und war so schön, dass er die Augen nicht abwenden konnte, und er bückte sich und gab ihr einen Kuss. Wie er es mit dem Kuss berührt hatte, schlug Dornröschen die Augen auf, erwachte und blickte ihn ganz freundlich an. Da gingen sie zusammen hinab und der König erwachte und die Königin und der ganze Hofstaat und sahen einander mit großen Augen an. Und die Pferde im Hof standen auf und rüttelten sich, die Jagdhunde sprangen und wedelten, die Tauben auf dem Dach zogen das Köpfchen unter dem Flügel hervor, sahen umher und flogen ins Feld, die Fliegen an den Wänden krochen weiter, das Feuer in der Küche erhob sich, flackerte und kochte das Essen, der Braten fing wieder an zu brutzeln, und der Koch gab dem Jungen eine Ohrfeige, dass er schrie, und die Magd rupfte das Huhn fertig. Und da wurde die Hochzeit des Königssohns mit dem Dornröschen in aller Pracht gefeiert und sie lebten vergnügt bis an ihr Ende.

Hänsel und Gretel

Vor einem großen Wald wohnte ein armer Holzhacker mit seiner Frau und seinen zwei Kindern. Das Bübchen hieß Hänsel und das Mädchen Gretel. Er hatte wenig zu essen und eines Tages konnte er auch das tägliche Brot nicht mehr herbeischaffen. Wie er sich nun abends im Bett Gedanken machte und sich vor Sorgen herumwälzte, seufzte er und sprach zu seiner Frau: »Was soll aus uns werden? Wie können wir unsere armen Kinder ernähren?«

»Weißt du, was, Mann«, antwortete die Frau, »wir wollen morgen in aller Früh die Kinder hinaus in den Wald bringen, wo er am dicksten ist. Da machen wir ihnen ein Feuer an und geben jedem noch ein Stückchen Brot, dann gehen wir an unsere Arbeit und lassen sie allein. Sie finden den Weg nicht wieder nach Haus und wir sind sie los.«

»Nein, Frau«, sagte der Mann, »das tue ich nicht. Ich bring es nicht übers Herz, meine Kinder im Wald allein zu lassen. Die wilden Tiere würden bald kommen und sie zerreißen.«

»Oh du Narr«, sagte sie, »dann müssen wir alle vier vor Hunger sterben«, und sie ließ ihm keine Ruhe, bis er einwilligte. »Aber die armen Kinder tun mir Leid«, sagte der Mann.

Die zwei Kinder hatten vor Hunger auch nicht einschlafen können und hatten gehört, was die Stiefmutter zum Vater gesagt hatte. Gretel weinte bittere Tränen, aber Hänsel sprach:

»Still, Gretel, mach dir keine Sorgen, ich will uns schon helfen.«

Und als die Eltern eingeschlafen waren, stand er auf, zog seine Jacke an und schlich sich hinaus. Da schien der Mond ganz hell, und die weißen Kieselsteine, die vor dem Haus lagen, glänzten wie Gold. Hänsel bückte sich und steckte so viele in sein Jackentäschlein, wie nur hineinpassten. Dann ging er wieder zurück, sprach zu Gretel: »Sei getröstet, liebes Schwesterchen, und schlaf nur ruhig ein, Gott wird uns nicht verlassen«, und legte sich wieder in sein Bett.

Noch ehe die Sonne aufgegangen war, kam schon die Frau und weckte die beiden Kinder: »Steht auf, ihr Faulenzer, wir wollen in den Wald gehen und Holz holen.« Dann gab sie jedem ein Stückchen Brot und sprach: »Da habt ihr etwas für den Mittag, aber esst's nicht vorher auf, weiter kriegt ihr nichts.«

Danach machten sich alle zusammen auf den Weg in den Wald. Hänsel aber warf einen Kieselstein nach dem anderen aus seiner Tasche auf den Weg.

Als sie mitten im Wald angekommen waren, machte der Vater ein Feuer und die Frau sprach: »Nun legt euch ans Feuer, ihr Kinder, und ruht euch aus, wir gehen in den Wald und schlagen Holz. Wenn wir fertig sind, kommen wir wieder und holen euch ab.«

Hänsel und Gretel saßen am Feuer, und als der Mittag kam, aßen sie ihre Stücklein Brot. Und als sie so lange gesessen hatten, fielen ihnen die Augen vor Müdigkeit zu und sie schliefen fest ein. Als sie endlich erwachten, war es schon finstere Nacht. Gretel fing an zu weinen und sprach: »Wie sollen wir nun aus dem Wald kommen?« Hänsel aber tröstete es: »Wart nur ein Weilchen, bis der Mond aufgegangen ist, dann wollen wir den Weg schon finden.«

 Und als der Vollmond aufgestiegen war, so nahm Hänsel sein Schwesterchen an der Hand und ging den Kieselsteinen nach, die wie Gold

schimmerten und ihnen den Weg zeigten. Sie gingen die ganze Nacht hindurch und kamen im Morgengrauen wieder zu dem Haus ihres Vaters. Sie klopften an die Tür, und als die Frau aufmachte und sah, dass es Hänsel und Gretel waren, sprach sie: »Ihr bösen Kinder, was habt ihr so lange im Wald geschlafen, wir haben geglaubt, ihr wolltet gar nicht wiederkommen.«

Der Vater aber freute sich, denn er hatte sich große Vorwürfe gemacht, dass er sie so allein zurückgelassen hatte.

Nicht lange danach war die Not wieder groß und die Kinder hörten, wie die Mutter nachts im Bett zu dem Vater sprach: »Alles ist wieder aufgebraucht, wir haben nur noch einen halben Laib Brot. Die Kinder müssen fort, wir wollen sie tiefer in den Wald hineinbringen, damit sie den Weg nicht wieder herausfinden. Es gibt sonst keine Rettung für uns.« Dem Mann fiel's schwer und er dachte: Es wäre besser, wenn du den letzten Bissen mit deinen Kindern teilen würdest. Aber die Frau hörte auf nichts, was er sagte, und weil er schon das erste Mal nachgegeben hatte, so musste er es auch zum zweiten Mal.

Die Kinder waren aber noch wach gewesen und hatten das Gespräch mit angehört. Als die Eltern schliefen, stand Hänsel wieder auf und wollte Kieselsteine holen wie das vorige Mal, aber die Frau hatte die Tür verschlossen und Hänsel konnte nicht hinaus. Aber er tröstete sein Schwesterchen und sprach: »Weine nicht, Gretel, und schlaf nur ruhig, der liebe Gott wird uns schon helfen.«

Am frühen Morgen kam die Frau und holte die Kinder aus dem Bett. Sie erhielten ihr Stückchen Brot, das war aber noch kleiner als das vorige Mal. Auf dem Weg in den Wald zerbröckelte es Hänsel in der Tasche und er warf nach und nach alle Bröcklein auf den Weg.

Die Frau führte die Kinder noch tiefer in den Wald, an einen Platz, wo sie noch nie gewesen waren. Da wurde wieder ein großes Feuer ange-

macht und die Mutter sagte: »Bleibt nur da sitzen, ihr Kinder, und wenn ihr müde seid, könnt ihr ein wenig schlafen. Wir gehen in den Wald und schlagen Holz, und am Abend, wenn wir fertig sind, kommen wir und holen euch ab.«

Als es Mittag war, teilte Gretel ihr Brot mit Hänsel, der sein Stück auf den Weg gestreut hatte. Dann schliefen sie ein und der Abend verging, aber niemand kam zu den armen Kindern. Sie erwachten erst in der finsteren Nacht und Hänsel tröstete sein Schwesterchen und sagte: »Warte nur, Gretel, bis der Mond aufgeht, dann werden wir die Brotbröcklein sehen, die ich ausgestreut habe, die zeigen uns den Weg nach Haus.«

Als der Mond kam, machten sie sich auf, aber sie fanden kein Bröcklein mehr, denn die vielen tausend Vögel, die im Wald und im Feld umherfliegen, die hatten sie weggepickt.

Hänsel sagte zu Gretel: »Wir werden den Weg schon finden«, aber sie fanden ihn nicht. Sie gingen die ganze Nacht und noch einen Tag von Morgen bis Abend, aber sie kamen aus dem Wald nicht hinaus und waren so hungrig, denn sie hatten nichts als die paar Beeren, die im Wald wuchsen. Und weil sie so müde waren, dass die Beine sie nicht mehr tragen wollten, so legten sie sich unter einen Baum und schliefen ein.

Nun war's schon der dritte Morgen, seitdem sie das Haus ihres Vaters verlassen hatten. Immer noch suchten sie den Heimweg, aber sie gerieten immer tiefer in den Wald, und wenn nicht bald Hilfe kam, so würden sie verhungern. Als Mittag war, gelangten sie zu einem Häuschen. Und als sie ganz nah herankamen, so sahen sie, dass das Häuslein aus Brot gebaut war und mit Kuchen gedeckt, und die Fenster waren aus hellem Zucker.

»Das wollen wir versuchen«, sprach Hänsel, »und eine schöne Mahlzeit halten. Ich will ein Stück vom Dach essen, Gretel, du kannst vom Fenster essen, das schmeckt süß.« Hänsel streckte sich und brach ein

wenig vom Dach ab und Gretel stellte sich an die Scheiben und knus-
perte daran. Da rief eine feine Stimme aus der Stube heraus:

»Knusper, knusper, knäuschen,
wer knuspert an meinem Häuschen?«

Die Kinder antworteten:

»Der Wind, der Wind,
das himmlische Kind«,

und aßen weiter, ohne sich beirren zu lassen. Hänsel, dem das Dach
sehr gut schmeckte, riss sich ein großes Stück davon herunter und
Gretel stieß eine ganze runde Fensterscheibe heraus, setzte sich nieder
und ließ es sich schmecken. Da ging auf einmal die Tür auf und eine
steinalte Frau, die sich auf eine Krücke stützte, kam herausgeschli-
chen. Hänsel und Gretel erschraken so gewaltig, dass sie fallen ließen,
was sie in den Händen hielten. Die Alte aber wackelte mit dem Kopf
und sprach: »Ei, ihr lieben Kinder, wer hat euch hierher gebracht?
Kommt nur herein und bleibt bei mir, ich tue euch nichts.«
Sie fasste beide an der Hand und führte sie in ihr Häuschen. Da wurde
gutes Essen aufgetragen, Milch und Pfannekuchen mit Zucker, Äpfel
und Nüsse. Danach wurden zwei schöne Bettlein weiß bezogen und
Hänsel und Gretel legten sich hinein und glaubten fast, sie wären im
Himmel.
Die Alte hatte sich nur so freundlich gestellt, sie war aber eine böse
Hexe, die den Kindern auflauerte. Sie hatte das Knusperhäuslein bloß
gebaut, um sie herbeizulocken.
Frühmorgens, ehe die Kinder erwacht waren, stand sie schon auf, und

als sie beide so friedlich ruhen sah, mit den dicken roten Backen, so murmelte sie vor sich hin: »Das wird ein guter Bissen werden.« Dann packte sie Hänsel mit ihrer dürren Hand und trug ihn in einen kleinen Stall und sperrte ihn mit einer Gittertüre ein. Er mochte schreien, wie er wollte, es half ihm nichts. Dann ging sie zum Gretel, rüttelte es wach und rief: »Steh auf, Faulenzerin, trag Wasser und koch deinem Bruder etwas Gutes, der sitzt draußen im Stall und soll fett werden. Wenn er fett ist, so will ich ihn essen.«

Gretel fing an bitterlich zu weinen, aber es nützte nichts, es musste tun, was die böse Hexe verlangte.

Nun wurde dem armen Hänsel das beste Essen gekocht, aber Gretel bekam fast nichts. Jeden Morgen schlich die Alte zu dem Ställchen und rief: »Hänsel, streck deine Finger heraus, damit ich fühlen kann, ob du bald fett bist.«

Hänsel streckte ihr aber ein Knöchlein heraus, und die Alte, die schlechte Augen hatte, konnte es nicht sehen und meinte, es wären Hänsels Finger, und wunderte sich, dass er gar nicht fett werden wollte. Als vier Wochen herum waren und Hänsel immer noch mager blieb, da überkam sie die Ungeduld und sie wollte nicht länger warten. »He, Gretel«, rief sie dem Mädchen zu, »sei flink und hole Wasser: Hänsel mag fett oder mager sein, morgen will ich ihn kochen.«

Ach, wie jammerte das arme Schwesterchen, als es das Wasser holen musste, und wie flossen ihm die Tränen über die Backen herunter!

»Spar dir nur dein Geplärre«, sagte die Alte, »es hilft dir alles nichts.«

Frühmorgens musste Gretel heraus, den Kessel mit Wasser aufhängen und Feuer anzünden.

»Erst wollen wir backen«, sagte die Alte, »ich habe den Backofen schon eingeheizt und den Teig geknetet!« Sie stieß das arme Gretel hinaus zum Backofen, aus dem die Feuerflammen schon herausschlugen.

»Kriech hinein«, sagte die Hexe, »und sieh zu, ob genug eingeheizt ist, damit wir das Brot hineinschieben können.« Und wenn Gretel darin war, wollte sie den Ofen zumachen und Gretel sollte darin braten und dann wollte sie's auch aufessen. Aber Gretel merkte, was die Hexe im Sinn hatte, und sprach: »Ich weiß nicht, wie ich's machen soll. Wie komm ich da hinein?«

»Dumme Gans«, sagte die Alte, »die Öffnung ist groß genug, siehst du wohl, ich könnte selbst hinein.« Sie krabbelte heran und steckte den Kopf in den Backofen. Da gab ihr Gretel einen Stoß, machte die eiserne Tür zu und schob den Riegel vor. Huh!, da fing die Alte an zu heulen, ganz grauselig. Aber Gretel lief fort und die böse Hexe musste verbrennen.

Gretel aber lief schnurstracks zum Hänsel, öffnete sein Ställchen und rief: »Hänsel, wir sind erlöst, die alte Hexe ist tot!«

Da sprang Hänsel heraus wie ein Vogel aus dem Käfig, wenn ihm die Tür aufgemacht wird. Wie haben sie sich gefreut, sind sich um den Hals gefallen, sind herumgesprungen und haben sich geküsst! Und weil sie sich nicht mehr zu fürchten brauchten, so gingen sie in das Haus der Hexe hinein. Da standen in allen Ecken Kästen mit Perlen und Edelsteinen.

»Die sind noch besser als Kieselsteine«, sagte Hänsel und steckte in seine Taschen, was hineinpasste, und Gretel sagte: »Ich will auch etwas mit nach Haus bringen«, und füllte sich sein Schürzchen voll.

»Aber jetzt wollen wir fort«, sagte Hänsel, »damit wir aus dem Hexenwald hinauskommen.«

Als sie aber ein paar Stunden gegangen waren, gelangten sie an einen See. »Wir können nicht hinüber«, sprach Hänsel, »ich seh keinen Steg und keine Brücke.«

»Hier fährt auch kein Schiffchen«, antwortete Gretel, »aber da schwimmt eine weiße Ente, wenn ich die bitte, so hilft sie uns bestimmt hinüber.« Sie rief:

»Entchen, Entchen,
da stehn Gretel und Hänsel.
Kein Steg und keine Brücke,
nimm uns auf deinen weißen Rücken.«

Das Entchen kam auch heran und brachte die beiden hinüber. Und als sie glücklich drüben waren und ein Weilchen gegangen waren, da kam ihnen der Wald immer bekannter und immer bekannter vor und endlich erblickten sie von weitem das Haus ihres Vaters. Da fingen sie an zu laufen, stürzten in die Stube hinein und fielen ihrem Vater um den Hals. Der Mann hatte keine frohe Stunde gehabt, seitdem er die Kinder im Wald gelassen hatte, die Frau aber war gestorben. Gretel schüttete sein Schürzchen aus, dass die Perlen und Edelsteine in der Stube nur so herumsprangen, und Hänsel warf eine Hand voll nach der anderen aus seiner Tasche dazu. Da hatten alle Sorgen ein Ende und sie lebten in lauter Freude zusammen.

Rapunzel

Es waren einmal ein Mann und eine Frau, die hatten sich schon lange ein Kind gewünscht. Endlich, nach vielen Jahren, kündigte sich Nachwuchs an. Die Leute hatten in ihrem Hinterhaus ein kleines Fenster, daraus konnte man in einen prächtigen Garten sehen, in dem die schönsten Blumen und Kräuter wuchsen. Er war aber von einer hohen Mauer umgeben und niemand wagte hineinzugehen, weil er einer Zauberin gehörte, die große Macht hatte und von aller Welt gefürchtet wurde.

Eines Tages stand die Frau an diesem Fenster und schaute in den Garten hinab, da erblickte sie ein Beet, das mit den schönsten Rapunzeln bepflanzt war. Und sie sahen so frisch und grün aus, dass sie großen Appetit bekam, von den Rapunzeln zu essen. Der Appetit nahm jeden Tag zu, und weil sie wusste, dass sie keine davon bekommen konnte, wurde sie matt und blass und sah ganz elend aus. Da erschrak der Mann und fragte: »Was fehlt dir, liebe Frau?«

»Ach«, antwortete sie, »wenn ich keine Rapunzeln aus dem Garten hinter unserem Haus zu essen kriege, dann muss ich sterben.«

Der Mann, der sie lieb hatte, dachte: Eh du deine Frau sterben lässt, holst du ihr von den Rapunzeln – es mag kosten, was es will.

In der Abenddämmerung stieg er also über die Mauer in den Garten der Zauberin, pflückte in aller Eile eine Hand voll Rapunzeln und

brachte sie seiner Frau. Sie machte sich sogleich Salat daraus und aß sie mit großem Appetit auf. Sie hatten ihr aber so gut geschmeckt, dass sie den anderen Tag noch dreimal so viel Lust bekam. Also musste der Mann noch einmal in den Garten steigen.

In der Abenddämmerung stieg er wieder hinab. Als er aber die Mauer herabgeklettert war, erschrak er gewaltig, denn er sah die Zauberin vor sich stehen. »Wie kannst du es wagen«, sprach sie mit zornigem Blick, »in meinen Garten zu steigen und wie ein Dieb mir meine Rapunzeln zu stehlen? Das soll dir schlecht bekommen.«

»Ach«, antwortete er, »bitte versteht, ich habe mich nur aus Not dazu entschlossen: Meine Frau hat Eure Rapunzeln aus dem Fenster erblickt und hat einen so großen Appetit, dass sie sterben würde, wenn sie nicht davon zu essen bekäme.«

Da ließ der Zorn der Zauberin nach und sie sprach zu ihm: »Ist es wirklich so, wie du sagst, so will ich dir erlauben Rapunzeln mitzunehmen, so viel du willst. Aber ich habe eine Bedingung: Du musst mir das Kind geben, das deine Frau zur Welt bringen wird. Es soll ihm gut gehen und ich will für es sorgen wie eine Mutter.«

Der Mann sagte in der Angst alles zu, und als das Kind geboren war, da erschien sogleich die Zauberin, gab dem Mädchen den Namen Rapunzel und nahm es mit sich fort.

Rapunzel war das schönste Kind unter der Sonne. Als es zwölf Jahre alt war, schloss es die Zauberin in einen Turm, der in einem Wald lag und weder Treppe noch Türe hatte, nur ganz oben war ein kleines Fensterchen. Wenn die Zauberin hineinwolllte, so stellte sie sich unten hin und rief:

»Rapunzel, Rapunzel,
lass mir dein Haar herunter.«

Rapunzel hatte langes, prächtiges Haar, fein wie gesponnenes Gold. Wenn sie nun die Stimme der Zauberin vernahm, so band sie ihre Zöpfe los, wickelte sie oben um einen Fensterhaken und dann fielen die Haare tief herunter und die Zauberin stieg daran hinauf.

Ein paar Jahre später kam einmal der Sohn des Königs durch den Wald und an dem Turm vorbeigeritten. Da hörte er einen Gesang, der war so lieblich, dass er anhielt und horchte.

Das war Rapunzel, die in ihrer Einsamkeit sich die Zeit damit vertrieb, ihre süße Stimme klingen zu lassen. Der Königssohn wollte zu ihr hinaufsteigen und suchte nach der Tür des Turms, aber es war keine zu finden. Er ritt heim, doch der Gesang hatte ihm so sehr das Herz gerührt, dass er jeden Tag hinaus in den Wald ging und zuhörte. Als er einmal so hinter einem Baum stand, sah er, dass die Zauberin herankam, und er hörte, wie sie hinaufrief:

> »Rapunzel, Rapunzel,
> lass mir dein Haar herunter.«

Da ließ Rapunzel die Zöpfe herab und die Zauberin stieg zu ihr hinauf. »Wenn das die Leiter ist, auf welcher man hinaufkommt, so will ich auch einmal mein Glück versuchen.« Und am nächsten Tag, als es anfing, dunkel zu werden, ging er zu dem Turm und rief:

> »Rapunzel, Rapunzel,
> lass mir dein Haar herunter.«

Schon bald fielen die Haare herab und der Königssohn stieg hinauf. Anfangs erschrak Rapunzel gewaltig, als ein Mann zu ihr hereinkam.

Doch der Königssohn fing an ganz freundlich mit ihr zu reden und erzählte ihr, wie sehr ihr Gesang sein Herz bewegt hätte, sodass es ihm keine Ruhe gelassen hätte und er sie selbst habe sehen müssen. Da verlor Rapunzel ihre Angst, und weil er jung und schön war, so dachte sie:

Der wird mich lieber haben als die alte Zauberin. Und sie sagte Ja und legte ihre Hand in seine Hand. Sie sprach: »Ich will gerne mit dir gehen, aber ich weiß nicht, wie ich hinabkommen kann. Wenn du kommst, so bring jedes Mal einen Strang Seide mit, daraus will ich eine Leiter flechten, und wenn die fertig ist, so steige ich hinunter und du nimmst mich auf dein Pferd.«

Sie verabredeten, dass er bis dahin alle Abende zu ihr kommen sollte, denn am Tag kam die Alte. Die Zauberin merkte auch nichts davon, bis einmal Rapunzel zu ihr sagte: »Wie kommt es nur, dass ihr viel schwerer heraufzuziehen seid als der junge Königssohn?«

»Ach, du ungezogenes Kind«, rief die Zauberin, »was muss ich von dir hören, ich dachte, keiner würde dich hier finden – aber du hast mich betrogen!« In ihrem Zorn packte sie die schönen Haare der Rapunzel, wickelte sie ein paar Mal um ihre linke Hand, griff eine Schere mit der rechten, und ritsch, ratsch waren sie abgeschnitten und die schönen Zöpfe lagen auf der Erde. Und sie war so unbarmherzig, dass sie die arme Rapunzel in eine ganz einsame und karge Gegend brachte, wo sie in großem Jammer und Elend leben musste.

Am selben Tag aber, an dem sie Rapunzel verstoßen hatte, machte abends die Zauberin die abgeschnittenen Zöpfe oben am Fensterhaken fest, und als der Königssohn kam und rief:

»Rapunzel, Rapunzel,
lass mir dein Haar herunter«,

da ließ sie die Haare hinab. Der Königssohn stieg hinauf, aber er fand oben nicht seine liebste Rapunzel, sondern die Zauberin, die ihn mit bösen und giftigen Blicken ansah.

»Aha«, rief sie höhnisch, »du willst die Frau Liebste holen, aber der schöne Vogel sitzt nicht mehr im Nest und singt nicht mehr – die Katze hat ihn geholt und wird dir auch noch die Augen auskratzen. Für dich ist Rapunzel verloren, du wirst sie nie mehr erblicken.«

Der Königssohn geriet außer sich vor Kummer und in seiner Verzweiflung sprang er vom Turm hinab: Er überlebte, aber die Dornen, in die er fiel, zerstachen ihm die Augen. Da irrte er blind im Wald umher, aß nichts als Wurzeln und Beeren und tat nichts als jammern und weinen über das Verschwinden seiner Liebsten. So wanderte er einige Jahre traurig umher und geriet endlich in die Einöde, wo Rapunzel mit den Zwillingen, die sie geboren hatte, einem Knaben und einem Mädchen, kümmerlich lebte. Er vernahm eine Stimme und sie kam ihm bekannt vor: Da ging er darauf zu, und wie er näher kam, erkannte ihn Rapunzel und fiel ihm um den Hals und weinte. Zwei von den Tränen aber benetzten seine Augen, da wurden sie wieder klar und er konnte damit sehen wie sonst. Er führte sie in sein Reich, wo sie mit Freude empfangen wurden. und sie lebten noch lange glücklich und vergnügt.

Die sieben Raben

Ein Mann hatte sieben Söhne und immer noch kein Töchterchen, so sehr er sich's auch wünschte. Endlich kündigte sich Nachwuchs an, und wie das Kind zur Welt kam, war es auch ein Mädchen. Die Freude war groß, aber das Kind war schmächtig und klein und sollte wegen seiner Schwachheit die Nottaufe erhalten. Der Vater schickte einen der Knaben schnell zur Quelle, Taufwasser zu holen. Die andern sechs liefen mit, und weil jeder der Erste beim Schöpfen sein wollte, so fiel ihnen der Krug in den Brunnen. Da standen sie und wussten nicht, was sie tun sollten, und keiner traute sich heim. Als sie nicht zurückkamen, wurde der Vater ungeduldig und sprach: »Gewiss haben sie's wieder über ein Spiel vergessen, die ungezogenen Jungen.« Er hatte Angst, das Mädchen müsste ungetauft sterben, und im Ärger rief er: »Ich wollte, dass die Jungen alle zu Raben würden.« Kaum war es ausgesprochen, so hörte er ein Geschwirr über seinem Kopf in der Luft, blickte in die Höhe und sah sieben kohlschwarze Raben auf und davon fliegen.

Die Eltern konnten die Verwünschung nicht mehr zurücknehmen, und so traurig sie über den Verlust ihrer sieben Söhne waren, trösteten sie sich doch einigermaßen durch ihr liebes Töchterchen, das bald zu Kräften kam und mit jedem Tage schöner wurde. Es wusste lange Zeit nicht einmal, dass es Geschwister gehabt hatte, denn die Eltern hüteten sich diese zu erwähnen. Bis das Mädchen eines Tags zufällig

die Leute von sich sprechen hörte: Das Mädchen wäre wohl schön, aber doch eigentlich schuld an dem Unglück seiner sieben Brüder. Da wurde das Mädchen ganz traurig, ging zu Vater und Mutter und fragte, ob es denn Brüder gehabt hätte und wo sie hingeraten wären. Nun konnten die Eltern das Geheimnis nicht länger verschweigen, sagten jedoch, dies alles sei so vom Himmel gewollt und die Tochter selbst habe keine Schuld an der Verzauberung. Das Mädchen aber hatte ein schlechtes Gewissen und es glaubte, es müsste seine Geschwister wieder erlösen. Es ließ ihm keine Ruhe, bis es sich heimlich aufmachte und in die weite Welt ging, um seine Brüder irgendwo aufzuspüren und zu befreien. Es nahm nichts mit als ein Ringlein von seinen Eltern zum Andenken, einen Laib Brot für den Hunger, ein Krüglein Wasser für den Durst und ein Stühlchen für die Müdigkeit.

Nun ging es immer zu, weit, weit, bis ans Ende der Welt. Da kam es zur Sonne, aber die war zu heiß und fürchterlich und fraß die kleinen Kinder. Eilig lief es weg und lief hin zu dem Mond, aber der war zu kalt und auch grausig und bös, und als er das Kind bemerkte, sprach er: »Ich rieche, rieche Menschenfleisch.«

Da ging es schnell fort und kam zu den Sternen, die waren freundlich und gut und jeder saß auf seinem besonderen Stühlchen. Der Morgenstern aber stand auf, gab ihm einen kleinen Knochen und sprach: »Wenn du das Knöchelchen nicht hast, kannst du den Glasberg nicht aufschließen, und in dem Glasberg, da sind deine Brüder.«

Das Mädchen nahm das Knöchelchen, wickelte es sorgfältig in ein Tüchlein und ging wieder fort. Es wanderte, bis es an den Glasberg kam. Das Tor war verschlossen und das Mädchen wollte das Knöchelchen hervorholen, aber wie es das Tüchlein aufmachte, so war es leer. Es hatte das Geschenk der guten Sterne verloren. Was sollte es nun anfangen? Seine Brüder wollte es retten und hatte keinen Schlüssel zum Glasberg. Also

nahm das gute Schwesterchen ein Messer, schnitt sich ein kleines Fingerchen ab, steckte es in das Tor und schloss glücklich auf. Als es hineingegangen war, kam ihm ein Zwerglein entgegen, das sprach: »Mein Kind, was suchst du?«

»Ich suche meine Brüder, die sieben Raben«, antwortete es. Der Zwerg sprach: »Die Herren Raben sind nicht zu Haus, aber willst du hier so lange warten, bis sie kommen, so tritt ein.«

Kurz darauf trug das Zwerglein die Speise der Raben herein auf sieben Tellerchen und in sieben Becherchen. Und von jedem Tellerchen aß das Schwesterchen ein Bröckchen und aus jedem Becherchen trank es ein Schlückchen. In das letzte Becherchen aber ließ es das Ringlein fallen, das es mitgenommen hatte.

Auf einmal hörte es in der Luft ein Schwirren und Rauschen, da sprach das Zwerglein: »Jetzt kommen die Herren Raben heimgeflogen.«

Da kamen sie, wollten essen und trinken und suchten ihre Tellerchen und Becherchen. Und einer nach dem andern sprach: »Wer hat von meinem Tellerchen gegessen? Wer hat aus meinem Becherchen getrunken? Das muss ein Mensch gewesen sein.« Und wie der Siebente seinen Becher leer trank, rollte ihm das Ringlein entgegen. Da sah er es an und erkannte, dass es ein Ringlein von Vater und Mutter war, und sprach: »Wenn doch nur unser Schwesterlein da wäre, so wären wir erlöst.«

Wie das Mädchen, das hinter der Türe stand und lauschte, den Wunsch hörte, so trat es hervor und die Raben verwandelten sich wieder in Menschen. Und sie herzten und küssten einander und zogen fröhlich heim.

Aschenputtel

Einem reichen Mann, dem wurde seine Frau krank, und als sie fühlte, dass ihr Ende herankam, rief sie ihr einziges Töchterlein zu sich ans Bett und sprach: »Liebes Kind, bleibe fromm und gut, so wird dich der liebe Gott beschützen und ich werde vom Himmel auf dich herabblicken und immer bei dir sein.« Darauf schloss sie die Augen zu und starb. Das Mädchen ging jeden Tag hinaus zu dem Grab der Mutter und weinte und blieb fromm und gut. Als der Winter kam, lag der Schnee wie ein weißes Tüchlein auf dem Grab, und als die Sonne im Frühjahr das Tüchlein wieder herabgezogen hatte, nahm sich der Mann eine andere Frau.

Die Frau hatte zwei Töchter mit ins Haus gebracht, die sahen weiß und schön aus, waren aber garstig und schwarz von Herzen. Da fing eine schlimme Zeit für das arme Stiefkind an.

»Warum darf die dumme Gans bei uns in der Stube sitzen?«, sprachen sie. »Wer Brot essen will, muss es verdienen: Hinaus mit der Küchenmagd.« Sie nahmen ihm seine schönen Kleider weg, zogen ihm einen alten grauen Kittel an und gaben ihm hölzerne Schuhe. »Seht einmal die stolze Prinzessin, wie sie sich herausgeputzt hat!«, riefen sie, lachten und führten es in die Küche. Da musste es von Morgen bis Abend schwere Arbeit tun, früh am Morgen aufstehn, Wasser holen, Feuer

anmachen, kochen und waschen. Obendrein hatte es den Spott der Schwestern zu ertragen: Sie schütteten ihm die Erbsen und Linsen in die Asche, sodass es sitzen und sie wieder auslesen musste. Abends, wenn es sich müde gearbeitet hatte, kam es in kein Bett, sondern musste sich neben den Herd in die Asche legen. Und weil es darum immer staubig und schmutzig aussah, nannten sie es Aschenputtel.

Es trug sich zu, dass der Vater einmal für länger fortmusste, da fragte er die beiden Stieftöchter, was er ihnen mitbringen sollte.

»Schöne Kleider«, sagte die eine, »Perlen und Edelsteine«, die zweite.

»Aber du, Aschenputtel«, sprach er, »was willst du haben?«

»Vater, das erste Zweiglein, das Euch auf Eurem Heimweg an den Hut stößt, das brecht für mich ab.«

Er kaufte nun für die beiden Stiefschwestern schöne Kleider, Perlen und Edelsteine und auf dem Rückweg, als er durch den Wald ritt, streifte ihn ein Zweig von einem Haselnussstrauch und stieß ihm den Hut vom Kopf. Da brach er das Zweiglein ab und nahm es mit. Als er nach Hause kam, gab er den Stieftöchtern, was sie sich gewünscht hatten, und dem Aschenputtel gab er das Zweiglein. Aschenputtel dankte ihm, ging zum Grab seiner Mutter und pflanzte den Zweig darauf und weinte so sehr, dass die Tränen darauf niederfielen und ihn begossen. Er wuchs und wurde ein schöner Baum. Aschenputtel ging alle Tage dreimal dort hin, weinte und betete und jedes Mal kam ein weißes Vöglein auf den Baum. Und wenn das Mädchen einen Wunsch aussprach, so warf ihm das Vöglein herab, was es sich gewünscht hatte.

Eines Tages veranstaltete der König ein Fest, das drei Tage dauern sollte und zu dem alle schönen Mädchen im Lande eingeladen wurden, damit sich sein Sohn eine Braut aussuchen konnte. Die zwei Stiefschwestern freuten sich, als sie hörten, dass sie auch dabei er-

scheinen sollten. Sie riefen Aschenputtel und sprachen: »Kämm uns die Haare und bürste uns die Schuhe, wir gehen zur Hochzeit auf das Königsschloss.«

Aschenputtel gehorchte, weinte aber, weil es auch gern zum Tanz mitgegangen wäre, und bat die Stiefmutter, sie möchte es ihm erlauben.

»Du, Aschenputtel«, sprach sie, »bist voll Staub und Schmutz und willst zur Hochzeit? Du hast keine Kleider und Schuhe und willst tanzen! « Als das Mädchen immer wieder bat, sprach sie endlich: »Da habe ich dir eine Schüssel Linsen in die Asche geschüttet, wenn du die Linsen in zwei Stunden wieder ausgelesen hast, so darfst du mitgehen.«

Das Mädchen ging durch die Hintertür in den Garten und rief: »Ihr zahmen Täubchen, ihr Turteltäubchen, all ihr Vöglein unter dem Himmel, kommt und helft mir lesen,

>   die guten ins Töpfchen,
>   die schlechten ins Kröpfchen.«

Da kamen zum Küchenfenster zwei weiße Täubchen herein und danach die Turteltäubchen und endlich schwirrten und schwärmten alle Vöglein unter dem Himmel herein und setzten sich um die Asche. Und die Täubchen nickten mit den Köpfchen und fingen an, pick, pick, pick, pick, und lasen alle guten Körnlein in die Schüssel. Kaum war eine Stunde herum, so waren sie schon fertig und flogen alle wieder hinaus. Da brachte das Mädchen die Schüssel der Stiefmutter, freute sich und glaubte, es dürfte nun mit auf die Hochzeit gehen. Aber sie sprach: »Nein, Aschenputtel, du hast keine Kleider und kannst nicht tanzen. Du wirst nur ausgelacht.« Als es nun weinte, sprach sie: »Wenn du mir zwei Schüsseln mit Linsen in einer Stunde aus der Asche lesen kannst, so sollst du mitgehen«, und dachte: Das wird ihm nie gelingen. Als sie die zwei Schüsseln Linsen in die Asche geschüttet hatte, ging das Mädchen durch die Hintertür in den Garten und rief: »Ihr zahmen Täubchen, ihr Turteltäubchen, all ihr Vöglein unter dem Himmel, kommt und helft mir lesen,

> die guten ins Töpfchen,
> die schlechten ins Kröpfchen.«

Da kamen zum Küchenfenster zwei weiße Täubchen herein und danach die Turteltäubchen und endlich schwirrten und schwärmten alle Vögel unter dem Himmel herein und setzten sich um die Asche. Und die Täubchen nickten mit ihren Köpfchen und fingen an, pick, pick, pick, pick, und da fingen die übrigen auch an, pick, pick, pick, pick, und lasen alle guten Körner in die Schüssel. Und ehe eine halbe Stunde herum war, waren sie schon fertig und flogen alle wieder hinaus. Da trug das Mädchen die Schüsseln zu der Stiefmutter, freute sich und glaubte, nun dürfte es mit auf die Hochzeit gehen. Aber sie

sprach: »Es hilft dir alles nichts: Du kommst nicht mit, denn du hast keine Kleider und kannst nicht tanzen. Wir würden uns deiner schämen.« Darauf kehrte sie ihm den Rücken zu und eilte mit ihren zwei stolzen Töchtern fort.

Als nun niemand mehr daheim war, ging Aschenputtel zum Grab seiner Mutter unter den Haselbaum und rief:

> »Bäumchen, rüttel dich und schüttel dich,
> wirf Gold und Silber über mich.«

Da warf ihm der Vogel ein gold- und silberfarbenes Kleid herunter und mit Seide und Silber bestickte Schuhe. In aller Eile zog es das Kleid an und ging zur Hochzeit. Seine Schwestern aber und die Stiefmutter erkannten es nicht und meinten, es müsse eine fremde Königstochter sein, so schön sah es in dem goldenen Kleid aus.

An Aschenputtel dachten sie gar nicht und meinten, es säße daheim im Schmutz und suchte die Linsen aus der Asche.

Der Königssohn kam ihm entgegen, nahm Aschenputtel bei der Hand und tanzte mit ihm. Er wollte sonst mit niemandem tanzen und ließ seine Hand nicht los. Und wenn ein anderer kam, es aufzufordern, sprach er: »Das ist meine Tänzerin.«

Aschenputtel tanzte, bis es Abend war. Als es nach Hause gehen wollte, sprach der Königssohn: »Ich gehe mit und begleite dich«, denn er wollte sehen, wohin das schöne Mädchen gehörte. Sie entwischte ihm aber und sprang in das Taubenhaus. Nun wartete der Königssohn, bis Aschenputtels Vater kam, und sagte ihm, das fremde Mädchen wär in das Taubenhaus gesprungen. Der Vater dachte: Sollte es Aschenputtel gewesen sein? Und sie mussten ihm Axt und Hacken bringen, damit er das Taubenhaus entzweischlagen konnte:

Aber es war niemand darin. Und als sie ins Haus kamen, lag Aschenputtel in seinen schmutzigen Kleidern in der Asche und ein trübes Öllämpchen brannte im Schornstein. Denn Aschenputtel war geschwind aus dem Taubenhaus hinten herabgesprungen und war zu dem Haselbäumchen gelaufen: Da hatte es die schönen Kleider ausgezogen und aufs Grab gelegt und der Vogel hatte sie wieder weggenommen. Dann hatte es sich in seinem grauen Kittelchen in die Küche zur Asche gesetzt.

Am andern Tag, als das Fest von neuem begann und die Eltern und Stiefschwestern wieder fort waren, ging Aschenputtel zu dem Haselbaum und sprach:

»Bäumchen, rüttel dich und schüttel dich,
wirf Gold und Silber über mich.«

Da warf der Vogel ein noch viel schöneres Kleid herab als am vorigen Tag. Und als Aschenputtel mit diesem Kleid auf der Hochzeit erschien, staunte jeder über seine Schönheit. Der Königssohn aber hatte gewartet, bis es kam, nahm es gleich bei der Hand und tanzte nur allein mit ihm. Wenn andere kamen und es aufforderten, sprach er: »Das ist meine Tänzerin.«

Als es nun Abend war, wollte es fort, und der Königssohn ging ihm nach und wollte sehen, in welches Haus es ging: Aber es lief ihm fort und in den Garten hinter dem Haus. Darin stand ein schöner großer Baum, an dem die herrlichsten Birnen hingen. Es kletterte so flink wie ein Eichhörnchen zwischen die Äste und der Königssohn wusste nicht, wo es abgeblieben war. Er wartete deshalb, bis Aschenputtels Vater kam, und sprach zu ihm: »Das fremde Mädchen ist mir entwischt und ich glaube, es ist auf den Birnbaum gesprungen.«

Der Vater dachte: Sollte es Aschenputtel gewesen sein?, ließ sich die Axt holen und hieb den Baum um, aber es war niemand darauf. Und als sie in die Küche kamen, lag Aschenputtel da in der Asche wie sonst auch, denn es war auf der andern Seite vom Baum herabgesprungen, hatte dem Vogel auf dem Haselbäumchen die schönen Kleider wiedergebracht und sein graues Kittelchen angezogen.

Am dritten Tag, als die Eltern und Schwestern fort waren, ging Aschenputtel wieder zum Grab der Mutter und sprach zu dem Bäumchen:

>>Bäumchen, rüttel dich und schüttel dich,
wirf Gold und Silber über mich.<<

Nun warf ihm der Vogel ein Kleid herab, das war noch prächtiger als die beiden Kleider zuvor, und die Schuhe waren ganz golden. Als es in dem Kleid zu der Hochzeit kam, wussten sie alle nicht, was sie vor

Verwunderung sagen sollten. Der Königssohn tanzte ganz allein mit ihm, und wenn es jemand aufforderte, sprach er: »Das ist meine Tänzerin.«

Als es nun Abend war, wollte Aschenputtel fort, und der Königssohn wollte es begleiten, aber es entwischte ihm so flink, dass er nicht folgen konnte. Der Königssohn hatte sich aber etwas ausgedacht und die ganze Treppe mit Pech bestreichen lassen: Als Aschenputtel nun die Treppe hinabsprang, blieb der linke Schuh hängen. Der Königssohn hob ihn auf und er war klein und zierlich und ganz golden. Am nächsten Morgen ging er damit zu Aschenputtels Haus und sagte zu dem Vater: »Keine andere soll meine Frau werden als die, an deren Fuß dieser goldene Schuh passt.«

Da freuten sich die beiden Schwestern, denn sie hatten schöne Füße. Die älteste ging mit dem Schuh in ihr Schlafzimmer und wollte ihn anprobieren und die Mutter stand dabei. Aber sie konnte mit der großen Zehe nicht hineinkommen, und der Schuh war ihr zu klein, da reichte ihr die Mutter ein Messer und sprach: »Hau die Zehe ab. Wenn du Königin bist, so brauchst du nicht mehr zu Fuß zu gehen.«

Das Mädchen hieb die Zehe ab, zwängte den Fuß in den Schuh, verbiss den Schmerz und ging hinaus zum Königssohn. Da nahm er sie als seine Braut aufs Pferd und ritt mit ihr fort. Sie mussten aber an dem Grab vorbei, da saßen die zwei Täubchen auf dem Haselbäumchen und riefen:

>»Rucke di guh, rucke di guh,
Blut ist im Schuh:
Der Schuh ist zu klein,
die rechte Braut sitzt noch daheim.«

Der Königssohn blickte auf ihren Fuß und sah, wie das Blut heraus-
quoll. Er wendete sein Pferd, brachte die falsche Braut wieder nach
Hause und sagte, das wäre nicht die Richtige, die andere Schwester
solle den Schuh anziehen. Da ging diese in ihr Schlafzimmer und kam
mit den Zehen glücklich in den Schuh, aber die Ferse war zu groß. Da
reichte ihr die Mutter ein Messer und sprach: »Hau ein Stück von der
Ferse ab. Wenn du Königin bist, brauchst du nicht mehr zu Fuß zu gehen.«

Das Mädchen hieb ein Stück von der Ferse ab, zwängte den Fuß in den
Schuh, verbiss den Schmerz und ging hinaus zum Königssohn. Da
nahm er sie als Braut aufs Pferd und ritt mit ihr fort. Als sie an dem
Haselbäumchen vorbeikamen, saßen die zwei Täubchen darauf und
riefen:

> »Rucke di guh, rucke di guh,
> Blut ist im Schuh:
> Der Schuh ist zu klein,
> die rechte Braut sitzt noch daheim.«

Er blickte nieder auf ihren Fuß und sah, wie das Blut aus dem Schuh
quoll und an den weißen Strümpfen ganz rot heraufgestiegen war. Da
wendete er sein Pferd und brachte die falsche Braut wieder nach Hause. »Das ist auch nicht die Richtige«, sprach er. »Habt ihr keine andere
Tochter?«

»Nein«, sagte der Mann, »nur von meiner verstorbenen Frau ist noch
ein armseliges Aschenputtel da: Das kann unmöglich die Braut sein.«
Der Königssohn sprach, er sollte es heraufschicken, die Mutter aber
antwortete: »Ach nein, das ist viel zu schmutzig, das darf sich nicht sehen lassen.«

Er wollte es aber durchaus sehen und Aschenputtel musste gerufen werden. Da wusch es sich erst Hände und Gesicht rein, ging dann hin und verneigte sich vor dem Königssohn, der ihm den goldenen Schuh reichte. Dann setzte es sich auf einen Schemel, zog den Fuß aus dem schweren Holzschuh und steckte ihn in den goldenen Schuh. Der passte wie angegossen. Und als es sich aufrichtete und der König ihm ins Gesicht sah, da erkannte er das schöne Mädchen, das mit ihm getanzt hatte, und er rief: »Das ist die rechte Braut.«

Die Stiefmutter und die beiden Schwestern erschraken und wurden bleich vor Ärger. Er aber nahm Aschenputtel aufs Pferd und ritt mit ihm fort. Als sie an dem Haselbäumchen vorbeikamen, riefen die zwei weißen Täubchen:

»Rucke di guh, rucke di guh,
kein Blut im Schuh:
Der Schuh ist nicht zu klein,
die rechte Braut, die führt er heim.«

Der Wolf und die sieben jungen Geißlein

Es war einmal eine alte Geiß, die hatte sieben junge Geißlein und hatte sie lieb, wie eine Mutter ihre Kinder lieb hat. Eines Tages wollte sie in den Wald gehen und Futter holen, da rief sie alle sieben herbei und sprach: »Liebe Kinder, ich will hinaus in den Wald, nehmt euch in Acht vor dem Wolf: Wenn er hereinkommt, so frisst er euch alle mit Haut und Haar. Der Bösewicht verstellt sich oft, aber an seiner rauen Stimme und an seinen schwarzen Füßen werdet ihr ihn gleich erkennen.«

Die Geißlein sagten: »Liebe Mutter, wir wollen uns schon in Acht nehmen, Ihr könnt ohne Sorge fortgehen.«

Da meckerte die Alte beruhigt und machte sich auf den Weg.

Es dauerte nicht lange, da klopfte jemand an die Haustür und rief: »Macht auf, ihr lieben Kinder, eure Mutter ist da und hat jedem von euch etwas mitgebracht.« Aber die Geißlein hörten an der rauen Stimme, dass es der Wolf war. »Wir machen nicht auf«, riefen sie, »du bist nicht unsere Mutter, die hat eine feine und liebliche Stimme, aber deine Stimme ist rau; du bist der Wolf.«

Da ging der Wolf und kaufte sich ein großes Stück Kreide. Die aß er und machte damit seine Stimme fein. Dann kam er zurück, klopfte an

die Haustür und rief: »Macht auf, ihr lieben Kinder, eure Mutter ist da und hat jedem von euch etwas mitgebracht.«

Aber der Wolf hatte seine schwarze Pfote in das Fenster gelegt, das sahen die Kinder und riefen: »Wir machen nicht auf, unsere Mutter hat keinen schwarzen Fuß wie du: Du bist der Wolf.«

Da lief der Wolf zu einem Bäcker und sprach: »Ich habe mich am Fuß gestoßen, streich mir Teig darüber.« Und als ihm der Bäcker die Pfote bestrichen hatte, so lief er zum Müller und sprach: »Streu mir weißes Mehl auf meine Pfote.«

Der Müller dachte: Der Wolf will einen betrügen, und weigerte sich. Aber der Wolf sprach: »Wenn du es nicht tust, so fresse ich dich.« Da fürchtete sich der Müller und machte ihm die Pfote weiß.

Nun ging der Bösewicht zum dritten Mal zu der Haustür, klopfte an und sprach: »Macht mir auf, Kinder, euer liebes Mütterchen ist heimgekommen und hat jedem von euch etwas aus dem Wald mitgebracht.« Die Geißlein riefen: »Zeig uns erst deine Pfote, damit wir wissen, dass du unser liebes Mütterchen bist.« Da legte er die Pfote ins Fenster, und als sie sahen, dass sie weiß war, so glaubten sie ihm und machten die Tür auf. Wer aber hereinkam, das war der Wolf. Sie erschraken und wollten sich verstecken. Das eine sprang unter den Tisch, das zweite ins Bett, das dritte in den Ofen, das vierte in die Küche, das fünfte in den Schrank, das sechste unter die Waschschüssel, das siebente in den Kasten der Wanduhr. Aber der Wolf fand sie alle und schluckte eins nach dem anderen. Nur das Jüngste in dem Uhrkasten, das fand er nicht. Dann trollte er sich fort, legte sich draußen auf der grünen Wiese unter einen Baum und fing an zu schlafen.

Nicht lange danach kam die alte Geiß aus dem Wald wieder heim. Ach, was musste sie da erblicken! Die Haustüre stand sperrangelweit auf: Tisch, Stühle und Bänke waren umgeworfen, die Waschschüssel

lag in Scherben, Decke und Kissen waren aus dem Bett gezogen. Sie suchte ihre Kinder, aber nirgends waren sie zu finden. Sie rief sie nacheinander mit Namen, aber niemand antwortete. Endlich, als sie das Jüngste rief, da vernahm sie eine feine Stimme: »Liebe Mutter, ich stecke im Uhrkasten.«

Sie holte es heraus und es erzählte ihr, dass der Wolf gekommen wäre und die andern alle gefressen hätte. Ihr könnt euch vorstellen, wie sie um ihre armen Kinder geweint hat.

Schließlich ging sie in ihrem Jammer hinaus und das jüngste Geißlein lief mit. Als sie auf die Wiese kam, lag da der Wolf unter dem Baum und schnarchte, dass die Äste zitterten. Sie betrachtete ihn von allen Seiten und sah, dass in seinem angefüllten Bauch sich etwas regte und zappelte. Ach Gott, dachte sie, sollten meine armen Kinder, die er zum Abendbrot hinuntergewürgt hat, noch am Leben sein? Da musste das Geißlein nach Haus laufen und Schere, Nadel und Zwirn holen. Dann schnitt sie dem Ungetüm den Bauch auf, und kaum hatte sie einen Schnitt getan, so streckte schon ein Geißlein den Kopf heraus, und als sie weiterschnitt, so sprangen nacheinander alle sechs heraus und waren noch alle am Leben und hatten nicht einmal Schaden gelitten, denn das Ungetüm hatte sie in der Gier ganz hinuntergeschluckt. Das war ein Jubel! Sie umarmten ihre Mutter und hüpften vor Freude in die Luft. Die Alte aber sagte: »Jetzt geht und sucht Wackersteine, damit wollen wir dem bösen Tier den Bauch füllen, solange es noch schläft.« Da schleppten die sieben Geißlein in aller Eile die Steine herbei und steckten sie ihm in den Bauch, so viel sie hineinbringen konnten. Dann nähte ihn die Alte so schnell wie möglich wieder zu. Der Wolf hat von allem nichts gemerkt.

Als der Bösewicht endlich ausgeschlafen hatte, machte er sich auf die Beine. Und weil ihn die Steine im Magen so durstig machten, wollte er

zu einem Brunnen gehen und trinken. Als er aber anfing zu gehen und sich hin und her zu bewegen, so stießen die Steine in seinem Bauch aneinander und rappelten. Da rief er:

»Was rumpelt und pumpelt
in meinem Bauch herum?
Ich meinte, es wären sechs Geißlein,
so sind's lauter Wackersteine.«

Und als er an den Brunnen kam und sich über das Wasser bückte und trinken wollte, da zogen ihn die schweren Steine hinein und er musste jämmerlich ertrinken. Als die sieben Geißlein das sahen, da kamen sie herbeigelaufen, riefen laut: »Der Wolf ist tot! Der Wolf ist tot!«, und tanzten mit ihrer Mutter vor Freude um den Brunnen herum.

Der Froschkönig oder der eiserne Heinrich

In den alten Zeiten, wo das Wünschen noch geholfen hat, lebte ein König, dessen Töchter waren alle schön – aber die jüngste war so schön, dass die Sonne selber, die doch so vieles gesehen hatte, sich wunderte, sooft sie ihr ins Gesicht schien. Nahe bei dem Schloss des Königs unter einer alten Linde war ein Brunnen. Wenn nun der Tag sehr heiß war, ging das Königskind hinaus und setzte sich an den Rand des kühlen Brunnens. Und wenn es Langeweile hatte, nahm es eine goldene Kugel, warf sie in die Höhe und fing sie wieder; und das war sein liebstes Spiel.

Nun trug es sich einmal zu, dass die goldene Kugel der Königstochter nicht in ihr Händchen fiel, sondern geradezu ins Wasser hineinplumpste. Die Königstochter folgte ihr mit den Augen nach, aber die Kugel verschwand und der Brunnen war tief, so tief, dass man keinen Grund sah. Da fing sie an zu weinen und weinte immer lauter und konnte sich gar nicht trösten.

Und wie sie so klagte, rief ihr jemand zu: »Was hast du, Königstochter, du heulst ja, dass selbst ein Stein Mitleid bekommt.«

Sie sah sich um, woher die Stimme käme, da erblickte sie einen Frosch, der seinen dicken hässlichen Kopf aus dem Wasser streckte.

»Ach, du bist's, alter Wasserpatscher«, sagte sie, »ich weine über meine goldene Kugel, die mir in den Brunnen hinabgefallen ist.«

»Sei still und weine nicht«, antwortete der Frosch, »ich kann dir helfen. Aber was gibst du mir, wenn ich dein Spielzeug wieder heraufhole?«

»Was du haben willst, lieber Frosch«, sagte sie, »meine Kleider, meine Perlen und Edelsteine, auch noch die goldene Krone, die ich trage.«

Der Frosch antwortete: »Deine Kleider, deine Perlen und Edelsteine und deine goldene Krone, die mag ich nicht. Aber wenn du mich lieb haben willst und ich dein Spielkamerad sein darf, an deinem Tischlein neben dir sitzen, von deinem goldenen Tellerlein essen, aus deinem Becherlein trinken, in deinem Bettlein schlafen: Wenn du mir das versprichst, so will ich hinuntertauchen und dir die goldene Kugel wieder heraufholen.«

»Ach ja«, sagte sie, »ich verspreche dir alles, was du willst, wenn du mir nur die Kugel wiederbringst.« Sie dachte aber: Was der dumme Frosch schwätzt, der soll im Wasser bei den anderen Fröschen bleiben. Ein Frosch kann doch nicht der Spielkamerad eines Menschen sein.

Als der Frosch das Versprechen hörte, tauchte er seinen Kopf unter, sank hinab und nach einer Weile kam er wieder heraufgerudert: Er hatte die Kugel im Maul und warf sie ins Gras. Die Königstochter war voll Freude, als sie ihr schönes Spielzeug wieder erblickte, hob es auf und lief damit fort.

»Warte, warte«, rief der Frosch, »nimm mich mit, ich kann nicht so laufen wie du.« Aber was half es ihm, dass er ihr sein Quak-Quak so laut nachschrie, wie er konnte! Sie hörte nicht darauf, eilte nach Haus und hatte bald den armen Frosch vergessen, der wieder in seinen Brunnen hinabsteigen musste.

Am nächsten Tag, als die Königstochter sich mit dem König und allen

Hofleuten an die Tafel gesetzt hatte und von ihrem goldenen Tellerlein aß, da kam, plitsch, platsch, plitsch, platsch, etwas die Marmor-
treppe heraufgekrochen. Und als es oben angelangt war, klopfte es an
die Tür und rief: »Königstochter, jüngste, mach mir auf.«

Sie lief und wollte sehen, wer draußen wäre, als sie aber aufmachte,
saß der Frosch davor. Da warf sie die Tür hastig zu, setzte sich wieder
an den Tisch und es wurde ihr angst und bange. Der König sah wohl,
dass ihr das Herz gewaltig klopfte, und sprach: »Mein Kind, was
fürchtest du dich, steht etwa ein Riese vor der Tür und will dich holen?«

»Ach nein«, antwortete sie, »es ist kein Riese, sondern ein ekeliger
Frosch.«

»Was will der Frosch von dir?«

»Ach, lieber Vater, als ich gestern bei dem Brunnen saß und spielte, da
fiel meine goldene Kugel ins Wasser. Und weil ich so weinte, hat sie

der Frosch wieder herausgeholt. Und weil er es unbedingt wollte, versprach ich ihm, er dürfe mein Freund werden, ich habe aber nicht geglaubt, dass er aus seinem Wasser herauskönnte. Nun ist er draußen und will zu mir herein.«

Indes klopfte es zum zweiten Mal und eine Stimme rief:

»Königstochter, jüngste,
mach mir auf!
Weißt du nicht, was du gestern
zu mir gesagt hast
bei dem kühlen Brunnenwasser?
Königstochter, jüngste,
mach mir auf!«

Da sagte der König: »Was du versprochen hast, das musst du auch halten: Geh nur und mach ihm auf.«

Sie ging und öffnete die Tür, da hüpfte der Frosch herein, ihr immer hinterher, bis zu ihrem Stuhl. Da saß er und rief: »Heb mich herauf zu dir.«

Sie zögerte, bis der König es endlich befahl. Als der Frosch erst auf dem Stuhl war, wollte er auf den Tisch, und als er da saß, sprach er: »Nun schieb mir dein goldenes Tellerlein näher, damit wir zusammen essen können.«

Das tat sie zwar, aber man sah, dass sie's nicht gerne tat. Der Frosch ließ sich's gut schmecken, aber ihr blieb fast jeder Bissen im Hals stecken.

 Endlich sprach der Frosch: »Ich habe mich satt gegessen und bin müde, nun trag mich in dein Zimmer und mach dein seidenes Bettlein zurecht, da wollen wir uns schlafen legen.«

Die Königstochter fing an zu weinen und fürchtete sich vor dem kalten Frosch, den sie sich nicht anzurühren traute und der nun in ihrem schönen weißen Bettlein schlafen sollte. Der König aber wurde zornig und sprach: »Wer dir geholfen hat, als du in der Not warst, den sollst du danach nicht verachten.«

Da packte sie den Frosch mit zwei Fingern, trug ihn hinauf und setzte ihn in eine Ecke. Als sie aber im Bett lag, kam er gekrochen und sprach: »Ich bin müde, ich will bei dir schlafen. Heb mich herauf oder ich sag's deinem Vater.«

Da wurde sie bitterböse, hob ihn auf und warf ihn aus allen Kräften gegen die Wand. »Nun wirst du Ruhe haben, du ekliger Frosch.«

Als er aber herabfiel, war er kein Frosch, sondern ein Königssohn mit schönen freundlichen Augen.

Der sollte nun ihr Mann werden. Er erzählte ihr, er wäre von einer bösen Hexe verwünscht worden und niemand hätte ihn aus dem Brunnen erlösen können als sie allein, und morgen wollten sie zusammen in sein Reich gehen.

Dann schliefen sie ein und am andern Morgen, als die Sonne sie aufweckte, kam eine Kutsche herangefahren, mit acht weißen Pferden davor, die hatten weiße Straußenfedern auf dem Kopf, und hinten auf dem Trittbrett stand der Diener des jungen Königs, das war der treue Heinrich. Der treue Heinrich hatte sich so gegrämt, als sein Herr in einen Frosch verwandelt worden war, dass er drei eiserne Bänder hatte um sein Herz legen lassen, damit es ihm nicht vor Kummer zerspränge. Der Wagen sollte nun den jungen König in sein Reich abholen. Der treue Heinrich hob beide hinein, stellte sich wieder hinten drauf und war voller Freude darüber, dass sein Herr nicht länger ein Frosch sein musste. Und als sie ein Stück gefahren waren, hörte der Königssohn, dass es hinter ihm krachte, als

wäre etwas zerbrochen. Da drehte er sich um und rief: »Heinrich, der Wagen bricht.«

>   »Nein, Herr, der Wagen nicht,
>   es ist ein Band von meinem Herzen,
>   das da lag in großen Schmerzen,
>   als Ihr in dem Brunnen saßt,
>   als Ihr eine Fetsche (Frosch) wart.«

Noch einmal und noch einmal krachte es auf dem Weg und der Königssohn meinte immer, der Wagen bräche, und es waren doch nur die Bänder, die vom Herzen des treuen Heinrich absprangen, weil sein Herr erlöst und glücklich war.

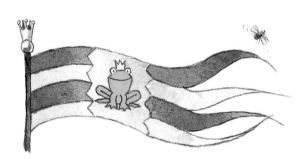

Hans im Glück

Hans hatte sieben Jahre für seinen Herrn gearbeitet, da sprach er zu ihm: »Herr, ich möchte gerne wieder heim zu meiner Mutter, gebt mir meinen Lohn.«

Der Herr antwortete: »Du hast gute Arbeit geleistet, also will ich dir einen guten Lohn zahlen«, und gab ihm ein Stück Gold, das so groß wie Hansens Kopf war. Hans zog ein Tüchlein aus der Tasche, wickelte den Klumpen hinein, setzte ihn auf die Schulter und machte sich auf den Weg nach Haus. Wie er so dahinging und immer ein Bein vor das andere setzte, fiel sein Blick auf einen Reiter, der frisch und fröhlich auf einem munteren Pferd vorbeitrabte.

»Ach«, sprach Hans ganz laut, »was ist das Reiten ein schönes Ding! Da sitzt einer wie auf einem Stuhl, stößt sich an keinem Stein, spart die Schuh und kommt schnell wie der Blitz von hier nach da.« Der Reiter, der das gehört hatte, hielt an und rief: »Ei, Hans, warum läufst du auch zu Fuß?«

»Ich muss ja wohl«, antwortete er, »da habe ich ja einen Klumpen heimzutragen: Es ist zwar Gold, aber ich kann den Kopf dabei nicht gerade halten, auch drückt mir's auf die Schulter.«

»Weißt du, was«, sagte der Reiter, »wir wollen tauschen: Ich gebe dir mein Pferd und du gibst mir deinen Klumpen.«

»Von Herzen gern«, sprach Hans, »aber ich sage Euch, da habt Ihr was zu schleppen.«

Der Reiter stieg ab, nahm das Gold und half dem Hans hinauf, gab ihm die Zügel fest in die Hand und sprach: »Wenn's schneller gehen soll, so musst du mit der Zunge schnalzen und hopp, hopp rufen.« Hans war sehr froh, als er auf dem Pferd saß und so bequem dahinritt. Nach einer Weile fiel's ihm ein und er fing an mit der Zunge zu schnalzen und hopp, hopp zu rufen. Das Pferd setzte sich in starken Trab, und ehe sich Hans versah, war er abgeworfen und lag in einem Graben, der die Äcker von der Landstraße trennte. Das Pferd wäre durchgegangen, wenn es nicht ein Bauer aufgehalten hätte, der des Weges kam und eine Kuh vor sich hertrieb. Nachdem Hans sich wieder aufgerappelt hatte, sprach er wütend zu dem Bauern: »Das Reiten ist ein schlechter Spaß, zumal wenn man an so einen Gaul gerät wie diesen, der stößt und einen herabwirft, dass man sich den Hals brechen könnte. Nie wieder setze ich mich da drauf. Da lob ich mir Eure Kuh, da kann einer gemütlich hinterhergehen und hat obendrein jeden Tag seine Milch, Butter und Käse. Was gäbe ich darum, wenn ich so eine Kuh hätte.«

»Nun«, sprach der Bauer, »wenn Ihr wollt, können wir tauschen.« Überglücklich willigte Hans ein: Der Bauer schwang sich aufs Pferd und ritt eilig davon.

Hans trieb seine Kuh ruhig vor sich her und freute sich über den guten Tausch. »Wenn ich nur ein Stück Brot habe, und daran wird mir's nicht fehlen, so kann ich so oft ich will Butter und Käse dazu essen – hab ich Durst, so melk ich meine Kuh und trinke Milch. Was will man mehr?«

Als er zu einem Wirtshaus kam, machte er Halt, aß in der großen Freude alles, was er bei sich hatte, sein Mittags- und Abendbrot, auf und ließ sich für sein letztes Geld ein halbes Glas Bier einschenken. Dann trieb er seine Kuh weiter, immer nach dem Dorf seiner Mutter

zu. Die Hitze wurde drückender, je näher der Mittag kam, und Hans befand sich mitten in einer weitläufigen Heidelandschaft. Da wurde es ihm ganz heiß, sodass ihm vor Durst die Zunge am Gaumen klebte. Da dachte Hans, jetzt will ich meine Kuh melken und mich mit der Milch erfrischen. Er band sie an einen dürren Baum, und da er keinen Eimer hatte, stellte er seine Ledermütze unter. Aber wie er sich auch bemühte, es kam kein Tropfen Milch zum Vorschein. Und weil er sich ungeschickt dabei anstellte, gab ihm das ungeduldige Tier schließlich mit einem der Hinterfüße einen solchen Schlag vor den Kopf, dass er zu Boden taumelte und eine Zeit lang gar nicht mehr wusste, wo er war. Glücklicherweise kam gerade ein Metzger vorbei, der auf einem Schubkarren ein junges Schwein liegen hatte.

»Was ist geschehen?«, rief er und half dem guten Hans auf. Hans erzählte, was vorgefallen war. Der Metzger reichte ihm seine Flasche und sprach: »Da trinkt einmal und erholt Euch. Die Kuh wird wohl keine Milch geben, das ist ein altes Tier, das höchstens noch zum Ziehen taugt oder zum Schlachten.«
»Ei, ei«, sprach Hans und kratzte sich am Kopf, »wer hätte das gedacht! Es ist doch gut, dass man so ein Tier schlachten kann. So gibt es wenigstens Fleisch. Aber ich mache mir aus dem Kuhfleisch nicht viel, es ist mir nicht saftig genug. Ja, wenn ich so ein junges Schwein

hätte! Das schmeckt anders – und wenn ich nur an die Würste denke.«

»Hört, Hans«, sprach der Metzger, »Euch zuliebe will ich tauschen und will das Schwein für die Kuh geben.«

»Ihr seid ein wahrer Freund«, sprach Hans, übergab ihm die Kuh, ließ sich das Schweinchen vom Karren losmachen und den Strick, woran es gebunden war, in die Hand geben.

Hans zog weiter und freute sich darüber, dass bei ihm alles nach Wunsch ging. Immer, wenn er in Schwierigkeiten steckte, half ihm gleich jemand aus der Klemme.

Ihm schloss sich danach ein Bursche an, der trug eine schöne weiße Gans unter dem Arm. Sie kamen ins Gespräch und Hans fing an, von seinem Glück zu erzählen und wie er immer so vorteilhaft getauscht hätte. Der Bursche erzählte ihm, dass er die Gans zu einem Fest brächte. »Hebt einmal«, fuhr er fort und packte sie bei den Flügeln, »wie schwer sie ist, die ist aber auch acht Wochen lang gemästet worden. Wer in den Braten beißt, muss sich das Fett von beiden Seiten abwischen.«

»Ja«, sprach Hans und wog sie mit der einen Hand, »die hat ihr Gewicht, aber mein Schwein ist auch nicht schlecht.« Indessen sah sich der Bursche nach allen Seiten bedenklich um und schüttelte den Kopf. »Hört«, fing er darauf an, »mit Eurem Schweine stimmt etwas nicht. In dem Dorf, durch das ich gekommen bin, ist eben einem Mann eins aus dem Stall gestohlen worden. Ich fürchte, ich fürchte, Ihr habt's da in der Hand. Sie haben Leute geschickt, und es wär ganz schlecht, wenn sie Euch mit dem Schwein erwischten: Bestimmt werden sie Euch in ein finsteres Loch stecken – oder schlimmer.«

Der gute Hans bekam einen Schreck: »Ach Gott«, sprach er, »helft mir aus der Not, Ihr kennt Euch hier besser aus, nehmt das Schwein da und lasst mir Eure Gans.«

»Auch ich setze damit viel aufs Spiel«, antwortete der Bursche, »aber ich will doch nicht schuld sein, dass Ihr ins Unglück geratet.« Er nahm also das Seil in die Hand und trieb das Schwein schnell auf einen Seitenweg fort. Der gute Hans aber ging, befreit von seinen Sorgen, mit der Gans unter dem Arm Richtung Heimat. »Wenn ich's mir recht überlege«, sprach er zu sich selbst, »war das doch ein guter Tausch: Zuerst gibt's den guten Braten, danach können wir mindestens ein Vierteljahr noch Gänseschmalzbrot essen und schließlich lass ich mir die schönen weißen Federn in mein Kopfkissen stopfen, und darauf will ich gut einschlafen. Was wird meine Mutter eine Freude haben!« Als er durch das letzte Dorf gekommen war, stand da ein Scherenschleifer mit seinem Karren, sein Rad schnurrte und er sang dazu:

> »Ich schleife die Schere und drehe geschwind
> und hänge mein Mäntelchen nach dem Wind.«

Hans blieb stehen und sah ihm zu – schließlich redete er ihn an und sprach: »Euch geht's gut, weil Ihr so lustig schleifen könnt.«

»Ja«, antwortete der Scherenschleifer, »das Handwerk hat einen goldenen Boden. Ein guter Schleifer ist ein Mann, der, sooft er in die Tasche greift, auch Geld darin findet. Aber wo habt Ihr die schöne Gans gekauft?«

»Die hab ich nicht gekauft, sondern für mein Schwein eingetauscht.«

»Und das Schwein?«

»Das hab ich für eine Kuh gekriegt.«

»Und die Kuh?«

»Die hab ich für ein Pferd bekommen.«

»Und das Pferd?«

»Dafür hab ich einen Klumpen Gold, so groß wie mein Kopf, gegeben.«

»Und das Gold?«

»Ei, das war mein Lohn für sieben Jahre Arbeit.«

»Ihr habt Euch jederzeit zu helfen gewusst«, sprach der Schleifer, »jetzt müsst Ihr es nur so weit bringen, dass Ihr das Geld in der Tasche springen hört, wenn Ihr aufsteht. Dann habt Ihr Euer Glück gemacht.«

»Wie soll ich das anfangen?«, sprach Hans.

»Ihr müsst ein Schleifer werden wie ich. Dazu gehört eigentlich nichts als ein Wetzstein, das andere findet sich schon von selbst. Da hab ich einen, der ist zwar ein wenig schadhaft, aber für Eure Gans würde ich ihn Euch geben, wollt Ihr das?«

»Wie könnt Ihr noch fragen«, antwortete Hans, »ich werde ja zum glücklichsten Menschen auf Erden, habe ich erst Geld, sooft ich in die Tasche greife, brauche ich mich um nichts mehr zu sorgen.« Er reichte ihm die Gans hin und nahm den Wetzstein in Empfang.

»Nun«, sprach der Schleifer und hob einen gewöhnlichen schweren Feldstein, der neben ihm lag, auf, »da habt Ihr noch einen tüchtigen Stein dazu, auf dem sich's gut schlagen lässt und Ihr Eure alten Nägel gerade klopfen könnt. Nehmt ihn und seid vorsichtig damit.«

Hans lud den Stein auf und ging mit vergnügtem Herzen weiter. Seine Augen leuchteten vor Freude. »Ich muss in einer Glückshaut geboren sein«, rief er aus, »alles, was ich wünsche, geht in Erfüllung wie bei einem Sonntagskind.« Weil er seit dem frühen Morgen unterwegs war, begann er, müde zu werden, und der Hunger plagte ihn, weil er allen Vorrat auf einmal in der Freude über die erhandelte Kuh aufgegessen hatte. Er konnte nur mit Mühe weitergehen und musste jeden Augenblick Halt machen. Weil die Steine so schrecklich schwer waren, kam ihm der Gedanke, wie gut es wäre, wenn er sie gerade jetzt nicht zu tragen brauchte. Wie eine Schnecke kam er zu einem Feldbrunnen, wollte ausruhen und sich mit einem Schluck Wasser erfri-

schen. Damit er aber die Steine im Niedersitzen nicht beschädigte, legte er sie bedächtig neben sich auf den Rand des Brunnens. Dann setzte er sich nieder und wollte sich zum Trinken bücken, da stieß er aus Versehen ein klein wenig an und beide Steine plumpsten hinab. Hans sprang vor Freude auf, kniete dann nieder und dankte Gott mit Tränen in den Augen, dass er ihm auch diesen Gefallen noch getan und ihn auf eine so gute Art und ohne dass er sich einen Vorwurf zu machen brauchte von den schweren Steinen befreit hätte. »So glücklich wie ich«, rief er aus, »gibt es keinen Menschen unter der Sonne.« Mit leichtem Herzen und frei von aller Last lief er nun weiter, bis er daheim war.

Schneewittchen

Es war einmal mitten im Winter und die Schneeflocken fielen wie Federn vom Himmel herab. Da saß eine Königin an einem Fenster, das einen Rahmen aus schwarzem Ebenholz hatte, und nähte. Und wie sie so nähte und gleichzeitig nach dem Schnee schaute, stach sie sich mit der Nadel in den Finger und es fielen drei Tropfen Blut in den Schnee. Und weil das Rote im weißen Schnee so schön aussah, dachte sie bei sich: Wie gern hätte ich ein Kind so weiß wie Schnee, so rot wie Blut und so schwarz wie das Holz des Rahmens. Bald darauf bekam sie ein Töchterlein, das war so weiß wie Schnee, so rot wie Blut und so schwarzhaarig wie Ebenholz und wurde darum das Schneewittchen genannt. Und als das Kind geboren war, starb die Königin.

Ein Jahr später nahm sich der König eine andere Gemahlin. Es war eine schöne Frau, aber sie war stolz und hochmütig und konnte nicht leiden, dass jemand schöner war als sie. Die Königin hatte einen wunderbaren Spiegel, wenn sie vor den trat und sich darin beschaute, sprach sie:

»Spieglein, Spieglein an der Wand,
wer ist die Schönste im ganzen Land?«

Und der Spiegel antwortete:

»Frau Königin, Ihr seid die Schönste im Land.«

Da war sie zufrieden, denn sie wusste, dass der Spiegel die Wahrheit sagte.

Schneewittchen aber wuchs heran und wurde immer schöner, und als es sieben Jahre alt war, war es so schön wie der klare Tag und schöner als die Königin selbst. Als diese einmal ihren Spiegel fragte:

»Spieglein, Spieglein an der Wand,
wer ist die Schönste im ganzen Land?«,

da antwortete er:

»Frau Königin, Ihr seid die Schönste hier,
aber Schneewittchen ist tausendmal schöner als Ihr.«

Da erschrak die Königin und wurde gelb und grün vor Neid. Von dieser Stunde an hasste sie das Mädchen. Und der Neid und Hochmut wuchsen wie ein Unkraut in ihrem Herzen immer höher, dass sie Tag und Nacht keine Ruhe mehr hatte. Da rief sie einen Jäger und sprach: »Bring das Kind hinaus in den Wald, ich will's nicht mehr vor meinen Augen sehen. Du sollst es töten und mir Lunge und Leber als Beweis mitbringen.«

Der Jäger gehorchte und führte das Mädchen hinaus. Aber als er Schneewittchens unschuldiges Herz durchbohren wollte, fing es an, zu weinen, und sprach: »Ach, lieber Jäger, lass mir mein Leben. Ich will in den wilden Wald laufen und nie mehr wieder heimkommen.«

Und weil es so schön war, hatte der Jäger Mitleid und sprach: »So lauf nur, du armes Kind.« Die wilden Tiere werden dich bald gefressen haben, dachte er, und doch war ihm ein Stein vom Herzen gefallen, weil er es nicht zu töten brauchte. Und als gerade ein junger Frischling dahergesprungen kam, stach er ihn ab, nahm Lunge und Leber heraus und brachte sie als Beweis der Königin mit. Der Koch musste sie in Salz kochen und die böse Stiefmutter aß sie auf und glaubte, sie hätte Schneewittchens Lunge und Leber gegessen.

Nun war das arme Kind in dem großen Wald mutterseelenallein und hatte so große Angst, dass es anfing, zu laufen, und es lief über die spitzen Steine und durch die Dornen und die wilden Tiere sprangen an ihm vorbei, aber sie taten ihm nichts. Es lief, solange nur die Füße noch fortkonnten. Als es Abend wurde, da sah es ein kleines Häuschen und ging hinein, um sich auszuruhen. In dem Häuschen war alles klein, aber sehr gemütlich und sauber. Da stand ein weiß gedecktes Tischlein mit sieben kleinen Tellern, jedes Tellerlein mit einem Löffelein, ferner sieben Messerlein und Gäblein und sieben Becherlein. An der Wand waren sieben Bettlein nebeneinander aufgestellt und schneeweiße Laken darüber gedeckt. Schneewittchen, weil es so hungrig und durstig war, aß von jedem Tellerlein ein wenig Gemüse und Brot und trank aus jedem Becherlein einen Tropfen Wein; denn es wollte nicht einem allein alles wegnehmen. Da es so müde war, wollte es sich danach in ein Bettchen legen, aber keins passte; das eine war zu lang, das andere zu kurz, bis schließlich das siebente richtig war: Und darin blieb es liegen und schlief ein.

Als es ganz dunkel geworden war, kamen die Herren von dem Häuslein, das waren die sieben Zwerge, die in den Bergen nach Erz hackten und gruben. Sie zündeten ihre sieben Lichtlein an, und wie

78

es nun hell im Häuslein wurde, sahen sie, dass jemand darin gewesen war, denn es stand nicht alles so in der Ordnung, wie sie es verlassen hatten.

Der Erste sprach: »Wer hat auf meinem Stühlchen gesessen?«

Der Zweite: »Wer hat von meinem Tellerchen gegessen?«

Der Dritte: »Wer hat von meinem Brötchen genommen?«

Der Vierte: »Wer hat von meinem Gemüschen gegessen?«

Der Fünfte: »Wer hat mit meinem Gäbelchen gestochen?«

Der Sechste: »Wer hat mit meinem Messerchen geschnitten?«

Der Siebente: »Wer hat aus meinem Becherlein getrunken?«

Dann sah sich der Erste um und bemerkte, dass auf seinem Bett eine kleine Delle war. Da sprach er: »Wer hat in mein Bettchen getreten?« Die andern kamen gelaufen und riefen: »In meinem hat auch jemand gelegen.« Der Siebente aber, als er in sein Bett sah, erblickte Schneewittchen, das lag darin und schlief. Nun rief er die andern, die kamen herbeigelaufen und schrien vor Verwunderung, holten ihre sieben Lichtlein und beleuchteten Schneewittchen: »Ei, du mein Gott! Ei, du mein Gott!«, riefen sie, »wie ist das Kind schön!« Sie waren so erfreut, dass sie es nicht aufweckten, sondern im Bettlein weiterschlafen ließen. Der siebente Zwerg aber schlief bei den anderen, bei jedem eine Stunde, dann war die Nacht herum.

Als es Morgen war, erwachte Schneewittchen, und wie es die sieben Zwerge sah, erschrak es. Sie waren aber freundlich und fragten: »Wie heißt du?«

»Ich heiße Schneewittchen«, antwortete es.

»Wie bist du in unser Haus gekommen?«, fragten die Zwerge.

Da erzählte es ihnen, was ihm Schreckliches geschehen war und wie es endlich ihr Häuslein gefunden hätte. Die Zwerge sprachen: »Willst du uns den Haushalt führen, kochen, Betten machen, waschen, nähen und stricken und willst du alles ordentlich und sauber halten, so kannst du bei uns bleiben und es soll dir an nichts fehlen.«

»Ja«, sagte Schneewittchen, »von Herzen gern«, und blieb bei ihnen. Es hielt ihnen das Haus in Ordnung: Morgens gingen sie in die Berge und suchten Erz und Gold, abends kamen sie wieder und da musste ihr Essen fertig sein. Weil das Mädchen den Tag über allein war, warnten es die guten Zwerglein und sprachen: »Hüte dich vor deiner Stiefmutter, die wird bald wissen, dass du hier bist – lass ja niemanden herein.«

Die Königin aber, nachdem sie glaubte Schneewittchens Lunge und Leber gegessen zu haben, dachte, sie wäre wieder die Allerschönste, trat vor ihren Spiegel und sprach:

>>Spieglein, Spieglein an der Wand,
wer ist die Schönste im ganzen Land?<<

Da antwortete der Spiegel:

>>Frau Königin, Ihr seid die Schönste hier,
aber Schneewittchen über den Bergen
bei den sieben Zwergen
ist noch tausendmal schöner als Ihr.<<

Da erschrak sie, denn sie wusste, dass der Spiegel keine Unwahrheit sprach, und merkte, dass der Jäger sie betrogen hatte und Schneewittchen noch am Leben war. Und so überlegte sie aufs Neue, wie sie das Mädchen umbringen könnte. Denn solange sie nicht die Schönste war im ganzen Land, ließ ihr der Neid keine Ruhe. Und als sie sich endlich etwas ausgedacht hatte, färbte sie sich das Gesicht und kleidete sich wie eine alte Händlerin. In dieser Verkleidung ging sie über die sieben Berge zu den sieben Zwergen, klopfte an die Tür und rief: >>Schöne Ware!<<
Schneewittchen guckte zum Fenster heraus und rief: >>Guten Tag, liebe Frau, was habt Ihr zu verkaufen?<<
>>Gute Ware, schöne Ware<<, antwortete sie, >>Schnürriemen in allen Farben<<, und holte einen hervor, der aus bunter Seide geflochten war.
Die ehrliche Frau kann ich hereinlassen, dachte Schneewittchen, riegelte die Tür auf und kaufte sich den hübschen Schnürriemen.

»Kind«, sprach die Alte, »wie du aussiehst! Komm, ich will dich einmal ordentlich schnüren.«

Die Alte schnürte sie flink und schnürte so fest, dass dem Schneewittchen der Atem verging und es tot umfiel.

»Nun bist du die Schönste gewesen«, sprach die Königin und eilte hinaus.

Kurz darauf, zur Abendzeit, kamen die sieben Zwerge nach Hause. Aber wie erschraken sie, als sie ihr liebes Schneewittchen auf der Erde liegen sahen – und es regte und bewegte sich nicht, als wäre es tot. Sie hoben es in die Höhe und sahen, dass es zu fest geschnürt war. Schnell schnitten sie den Schnürriemen entzwei. Da fing es an, ein wenig zu atmen, und wurde nach und nach wieder lebendig. Als die Zwerge hörten, was geschehen war, sprachen sie: »Die alte Händlerin war niemand anderes als die böse Königin: Also gebe Acht und lass keinen Menschen herein, wenn wir nicht bei dir sind.«

Als die böse Stiefmutter nach Haus gekommen war, ging sie vor den Spiegel und fragte:

> »Spieglein, Spieglein an der Wand,
> wer ist die Schönste im ganzen Land?«

Da antwortete er wie sonst:

> »Frau Königin, Ihr seid die Schönste hier,
> aber Schneewittchen hinter den Bergen
> bei den sieben Zwergen
> ist noch tausendmal schöner als Ihr.«

Als sie das hörte, erschrak sie, denn sie wusste so, dass Schneewitt-chen wieder lebendig geworden war.

»Nun aber«, sprach sie, »will ich mir etwas ausdenken, das dich endgültig zu Grunde richten soll.«

Und mit Hexenkünsten machte sie einen giftigen Kamm. Dann ver-kleidete sie sich und nahm die Gestalt eines andern alten Weibes an.

So ging sie hin über die sieben Berge zu den sieben Zwergen, klopfte an die Tür und rief: »Gute Ware!«

Schneewittchen schaute heraus und sprach: »Geht nur weiter, ich darf niemanden hereinlassen.«

»Du wirst dir die Ware doch noch ansehen dürfen«, sprach die Alte, zog den giftigen Kamm heraus und hielt ihn in die Höhe. Da gefiel er dem Kind so gut, dass es sich betören ließ und die Tür öffnete. Als sie sich über den Preis einig waren, sprach die Alte: »Nun will ich dich einmal ordentlich kämmen.«

Das arme Schneewittchen dachte an nichts und ließ die Alte gewäh-ren, aber kaum hatte sie den Kamm in die Haare gesteckt, wirkte das Gift darin und das Mädchen fiel ohnmächtig zu Boden.

»Das hast du nun von deiner Schönheit«, sprach das boshafte Weib, »jetzt habe ich meine Ruhe«, und ging fort.

Zum Glück aber war es bald Abend und die sieben Zwerglein kamen nach Hause.

Als sie Schneewittchen wie tot auf der Erde liegen sahen, hatten sie gleich die Stiefmutter in Verdacht, suchten nach und fanden den gifti-gen Kamm.

Kaum hatten sie ihn herausgezogen, kam Schneewittchen wieder zu sich und erzählte, was passiert war. Da ermahnten sie es noch einmal, niemandem die Tür zu öffnen.

Die Königin aber stellte sich daheim vor den Spiegel und sprach:

»Spieglein, Spieglein an der Wand,
wer ist die Schönste im ganzen Land?«

Da antwortete er wie vorher:

»Frau Königin, Ihr seid die Schönste hier,
aber Schneewittchen hinter den Bergen
bei den sieben Zwergen
ist noch tausendmal schöner als Ihr.«

Als sie den Spiegel so reden hörte, zitterte und bebte sie vor Zorn. »Schneewittchen soll sterben«, rief sie, »und wenn es mein eigenes Leben kostet.« Darauf ging sie in eine ganz verborgene einsame Kammer, wo niemand hinkam, und bereitete da einen sehr, sehr giftigen Apfel.

Äußerlich sah er schön aus, hell mit roten Backen, dass jeder, der ihn erblickte, Appetit bekam. Aber wer ein Stückchen davon essen würde, der müsste sterben. Als der Apfel fertig war, färbte sie sich das Gesicht und verkleidete sich als Bauersfrau, und so ging sie über die sieben Berge zu den sieben Zwergen. Sie klopfte an, Schneewittchen streckte den Kopf zum Fenster heraus und sprach: »Ich darf keinen Menschen hereinlassen, die sieben Zwerge haben mir's verboten.«

»Mir auch recht«, antwortete die Bäuerin, »meine Äpfel werde ich schon los. Da, einen will ich dir schenken.«

»Nein«, sprach Schneewittchen, »ich darf nichts annehmen.«

»Fürchtest du dich vor Gift?«, sprach die Alte. »Siehst du, da schneide ich den Apfel in zwei Teile; den roten Teil iss du, den anderen will ich essen.« Der Apfel war aber so geschickt hergerichtet, dass nur die rote Hälfte vergiftet war. Als Schneewittchen sah, dass die Bäuerin von dem Apfel aß, so konnte es nicht länger widerstehen, streckte die Hand hinaus und nahm die giftige Hälfte. Kaum aber hatte es einen Bissen davon im Mund, so fiel es tot um. Da betrachtete die Königin es mit grausigen Blicken, lachte überlaut und sprach: »Weiß wie Schnee, rot wie Blut, schwarz wie Ebenholz! Diesmal können dich die Zwerge nicht wieder erwecken.«

Und als sie daheim den Spiegel befragte:

>»Spieglein, Spieglein an der Wand,
> wer ist die Schönste im ganzen Land?«,

so antwortete er endlich:

>»Frau Königin, Ihr seid die Schönste im Land.«

Da hatte ihr neidisches Herz Ruhe, so gut ein neidisches Herz Ruhe haben kann.

Als die Zwerglein abends nach Hause kamen, fanden sie Schneewittchen auf der Erde liegen. Es ging kein Atem mehr aus seinem Mund – es war tot. Sie hoben es auf, suchten, ob sie was Giftiges fänden, schnürten es auf, kämmten ihm die Haare, wuschen es mit Wasser und Wein, aber es half alles nichts: Das liebe Kind war tot und blieb tot. Sie legten es auf eine Bahre und setzten sich alle sieben daran und beweinten es und weinten drei Tage lang. Dann wollten sie es begraben, aber es sah noch so frisch aus wie ein lebender Mensch und hatte noch seine schönen roten Backen. Da wollten sie es nicht in ein dunkles Grab versenken und ließen einen durchsichtigen Sarg aus Glas machen, damit man es von allen Seiten sehen konnte. Sie legten es hinein und schrieben mit goldenen Buchstaben seinen Namen darauf und dass es eine Königstochter wäre. Dann setzten sie den Sarg hinaus auf den Berg und einer von ihnen blieb immer dabei und bewachte ihn. Und die Tiere kamen auch und beweinten Schneewittchen, erst eine Eule, dann ein Rabe, zuletzt ein Täubchen. Nun lag Schneewittchen lange, lange Zeit in dem Sarg und sah aus, als wenn es schliefe, denn es war noch so weiß wie Schnee, so rot wie Blut und so schwarzhaarig wie Ebenholz.

Eines Tages aber geriet ein Königssohn in den Wald und kam zu dem Zwergenhaus, um zu übernachten. Er sah auf dem Berg den Sarg und das schöne Schneewittchen darin und las, was mit goldenen Buchstaben darauf geschrieben war. Da sprach er zu den Zwergen: »Lasst mir den Sarg, ich will euch geben, was ihr dafür haben wollt.«

Aber die Zwerge antworteten: »Wir geben ihn nicht um alles Gold der Welt.«

Da sprach er: »So schenkt ihn mir, denn ich kann nicht leben, ohne Schneewittchen zu sehen, ich will es ehren und hoch achten wie mein Liebstes.«

Wie er so sprach, empfanden die guten Zwerglein Mitleid mit ihm und gaben ihm den Sarg. Der Königssohn ließ ihn nun von seinen Dienern auf den Schultern forttragen. Da geschah es, dass sie über einen Strauch stolperten, und von dem Schütteln fuhr das giftige Apfelstück, das Schneewittchen abgebissen hatte, aus dem Hals. Und kurz darauf öffnete es die Augen, hob den Deckel vom Sarg in die Höhe und richtete sich auf und war wieder lebendig. »Ach Gott, wo bin ich?«, rief es.

Der Königssohn sagte voll Freude: »Du bist bei mir«, und erzählte, was sich zugetragen hatte. Dann sprach er: »Ich habe dich lieber als alles auf der Welt: Komm mit mir in das Schloss meines Vaters, du sollst meine Frau werden.«

Da ging Schneewittchen mit ihm und ihre Hochzeit wurde mit großer Pracht und Herrlichkeit vorbereitet.

Zu dem Fest wurde aber auch Schneewittchens böse Stiefmutter eingeladen. Wie sie sich nun ein schönes Kleid angezogen hatte, trat sie vor den Spiegel und sprach:

> »Spieglein, Spieglein an der Wand,
> wer ist die Schönste im ganzen Land?«

Der Spiegel antwortete:

> »Frau Königin, Ihr seid die Schönste hier,
> aber die junge Königin ist tausendmal schöner als Ihr.«

Da stieß die böse Stiefmutter einen Fluch aus und tobte vor Wut. Sie wollte zuerst gar nicht auf die Hochzeit kommen, doch ließ es ihr keine Ruhe, sie musste dort hin und die junge Königin sehen. Und wie sie hineintrat, erkannte sie Schneewittchen und vor Angst und Schrecken fiel sie tot um.

Rumpelstilzchen

Es war einmal ein Müller, der war arm, aber er hatte eine schöne Tochter. Als er eines Tages mit dem König zusammentraf, wollte er sich Ansehen verschaffen und sagte zu ihm: »Ich habe eine Tochter, die kann Stroh zu Gold spinnen.«

Der König sprach zum Müller: »Das ist eine Kunst, die mir gut gefällt. Wenn deine Tochter so geschickt ist, wie du sagst, so bring sie morgen in mein Schloss, da will ich sie auf die Probe stellen.«

Als nun das Mädchen zu ihm gebracht wurde, führte er es in eine Kammer, die ganz voll Stroh lag, gab ihr ein Spinnrad und sprach: »Jetzt mache dich an die Arbeit, und wenn du diese Nacht durch bis morgen früh dieses Stroh nicht zu Gold gesponnen hast, so musst du sterben.« Darauf schloss er die Kammer selbst zu und sie blieb allein darin.

Da saß nun die arme Müllerstochter und wusste keinen Rat: Sie verstand gar nichts davon, wie man Stroh zu Gold spinnen konnte, und ihre Angst wurde immer größer, bis sie schließlich zu weinen anfing. Da ging auf einmal die Tür auf und es trat ein kleines Männchen herein und sprach: »Guten Abend, Jungfer Müllerin, warum weinst du so sehr?«

»Ach«, antwortete das Mädchen, »ich soll Stroh zu Gold spinnen und kann das nicht.«

Da sprach das Männchen: »Was gibst du mir, wenn ich dir's spinne?«
»Mein Halsband«, sagte das Mädchen.

Das Männchen nahm das Halsband, setzte sich vor das Spinnrad, und, schnurr, schnurr, schnurr, dreimal gezogen, war die Spule voll. Dann steckte es eine andere auf, und, schnurr, schnurr, schnurr, dreimal gezogen, war auch die zweite voll. Und so ging's weiter bis zum Morgen, da war alles Stroh versponnen und alle Spulen waren voll Gold.

Bei Sonnenaufgang kam schon der König, und als er das Gold erblickte, staunte er und freute sich, aber sein Herz wurde noch goldgieriger. Er ließ die Müllerstochter in eine andere Kammer voll Stroh bringen, die noch viel größer war, und befahl ihr, das auch in einer Nacht zu Gold zu spinnen, wenn ihr das Leben lieb wäre. Das Mädchen wusste sich nicht zu helfen und weinte, da ging wieder die Tür auf und das kleine Männchen erschien und sprach: »Was gibst du mir, wenn ich dir das Stroh zu Gold spinne?«

»Meinen Fingerring«, antwortete das Mädchen. Das Männchen nahm den Ring, fing wieder an zu schnurren mit dem Spinnrad und hatte bis zum Morgen alles Stroh zu glänzendem Gold gesponnen. Der König freute sich sehr bei dem Anblick, hatte aber immer noch nicht genug und ließ die Müllerstochter in eine noch größere Kammer voll Stroh bringen und sprach: »Wenn es dir gelingt, in dieser Nacht all dies Stroh zu Gold zu spinnen, so sollst du meine Frau werden.« Wenn's auch nur eine Müllerstochter ist, dachte er, eine reichere Frau finde ich in der ganzen Welt nicht.

Als das Mädchen allein war, kam das Männlein zum dritten Mal wieder und sprach: »Was gibst du mir, wenn ich dir noch diesmal das Stroh spinne?«

»Ich habe nichts mehr, was ich dir geben könnte«, antwortete das Mädchen.

»So versprich mir, dass ich dein erstes Kind bekomme, wenn du Königin wirst.«

Die Müllerstochter wusste sich in der Not nicht anders zu helfen – sie versprach also dem Männchen, was es verlangte, und das Männchen spann dafür noch einmal das Stroh zu Gold. Und als am Morgen der König kam und alles fand, wie er gewünscht hatte, so feierte er Hochzeit mit ihr und die schöne Müllerstochter wurde eine Königin.

Ein Jahr später brachte sie ein schönes Kind zur Welt und dachte gar nicht mehr an das Männchen: Da trat es plötzlich in ihre Kammer und sprach: »Nun gib mir, was du versprochen hast.« Die Königin erschrak und bot dem Männchen alle Reichtümer des Königreichs an, wenn es ihr das Kind lassen wollte. Aber das Männchen sprach: »Nein, etwas Lebendiges ist mir lieber als alle Schätze der Welt.«

Da fing die Königin so an zu jammern und zu weinen, dass das Männchen Mitleid mit ihr hatte: »Drei Tage will ich dir Zeit lassen«, sprach es, »wenn du bis dahin meinen Namen errätst, darfst du dein Kind behalten.«

Nun überlegte die Königin die ganze Nacht, was es wohl für Namen gäbe, und schickte einen Boten durch das Land, der sollte sich erkundigen, wie die Leute anderswo heißen. Als am andern Tag das Männchen kam, fing sie an mit Kaspar, Melchior, Balthasar und sagte alle Namen, die sie wusste, aber bei jedem sprach das Männlein: »So heiß ich nicht.«

Den zweiten Tag ließ sie in anderen Ländern herumfragen, wie die Leute da genannt würden, und sagte dem Männlein die ungewöhnlichsten und seltsamsten Namen: »Heißt du vielleicht Rippenbiest oder Hammelswade oder Schnürbein?«

Aber das Männlein antwortete immer: »So heiß ich nicht.«

Am dritten Tag kam der Bote wieder zurück und erzählte: »Neue Namen habe ich keinen einzigen finden können, aber wie ich an einem

hohen Berg um die Waldecke kam, wo Fuchs und Hase sich Gute Nacht sagen, da sah ich ein kleines Haus und vor dem Haus brannte ein Feuer und um das Feuer sprang ein lächerliches Männchen, das hüpfte auf einem Bein und schrie:

»Heute back ich, morgen brau ich,
übermorgen hol ich der Königin ihr Kind.
Ach, wie gut, dass niemand weiß,
dass ich Rumpelstilzchen heiß!«

Da könnt ihr euch vorstellen, wie froh die Königin war, als sie den Namen hörte. Und als bald danach das Männlein hereintrat und fragte: »Nun, Frau Königin, wie heiß ich?«, fragte sie erst: »Heißt du Kunz?«
»Nein.«
»Heißt du Hinz?«
»Nein.«
»Heißt du etwa Rumpelstilzchen?«
»Das hat dir der Teufel gesagt, das hat dir der Teufel gesagt«, schrie das Männlein und trat mit dem rechten Fuß vor Zorn so tief in die Erde, dass es bis zum Bauch hineinfuhr, dann packte es in seiner Wut den linken Fuß mit beiden Händen und riss sich selbst mitten entzwei.

Die Bremer Stadtmusikanten

Ein Mann besaß einen Esel, der schon seit vielen Jahren für ihn brav und treu die Säcke zur Mühle getragen hatte. Nun war der Esel alt geworden und wurde langsamer und schwächer. Da wollte der Herr ihn schlachten lassen, aber der Esel merkte, was sein Herr vorhatte, und lief fort. Er machte sich auf den Weg nach Bremen – dort, meinte er, könnte er ja Stadtmusikant werden.

Als er ein Weilchen gegangen war, fand er einen Jagdhund auf dem Weg liegen, der japste wie einer, der sich müde gelaufen hatte.

»Nun, was japst du so, Packan?«, fragte der Esel.

»Ach«, sagte der Hund, »weil ich alt bin und jeden Tag schwächer werde, auch für die Jagd nicht mehr schnell genug bin, hat mich mein Herr totschlagen wollen, da hab ich Reißaus genommen – aber womit soll ich nun mein Brot verdienen?«

»Weißt du, was«, sprach der Esel, »ich gehe nach Bremen und werde dort Stadtmusikant – mach doch mit! Ich spiele die Laute und du schlägst die Pauken.«

Der Hund war zufrieden und sie gingen weiter. Es dauerte nicht lange, da saß da eine Katze an dem Weg und machte ein Gesicht wie drei Tage Regenwetter.

»Nun, was ist dir in die Quere gekommen, alter Bartputzer?«, sprach der Esel.

»Wer kann da lustig sein, wenn's einem an den Kragen geht«, antwortete die Katze, »weil ich nun zu alt bin, meine Zähne stumpf werden und ich lieber hinter dem Ofen sitze und schlafe als nach Mäusen herumzujagen, hat mich meine Frau ersäufen wollen. Ich bin zwar noch schnell genug ausgerissen, aber nun ist guter Rat teuer: Wo soll ich hin?«

»Geh mit uns nach Bremen, du kennst dich doch aus mit Nachtmusik, da kannst du ein Stadtmusikant werden.«

Die Katze hielt das für gut und ging mit. Darauf kamen die drei an einem Hof vorbei, da saß auf dem Tor der Haushahn und schrie aus Leibeskräften.

»Du schreist ja fürchterlich«, sprach der Esel, »was ist denn los?«

»Da hab ich stets gut das Wetter prophezeit«, sprach der Hahn, »weil aber am Sonntag Gäste kommen, hat die Hausfrau der Köchin gesagt, sie wollte mich morgen in der Suppe essen, und da soll ich mir heute Abend den Kopf abschneiden lassen. Nun schrei ich aus vollem Hals, solang ich noch kann.«

»Ei was, du Rotkopf«, sagte der Esel, »zieh lieber mit uns fort, wir gehen nach Bremen, etwas Besseres als den Tod findest du überall. Du hast eine gute Stimme, wir werden zusammen musizieren.«

Der Hahn fand den Vorschlag gut und sie gingen alle vier zusammen fort.

Sie konnten aber die Stadt Bremen in einem Tag nicht erreichen und kamen abends in einen Wald, wo sie übernachten wollten. Der Esel und der Hund legten sich unter einen großen Baum, die Katze und der Hahn kletterten in die Äste, der Hahn aber flog bis in die Spitze, wo es am sichersten für ihn war. Ehe er einschlief, sah er sich noch einmal in alle Richtungen um, und da kam es ihm vor, als sähe er in der Ferne ein

Fünkchen brennen. Er rief seinen Freunden zu, es müsste in der Nähe ein Haus sein, denn es scheine ein Licht. Der Esel schlug vor, dort hinzugehen, denn er fand es sehr unbequem unter dem Baum. Der Hund meinte, ein paar Knochen mit etwas Fleisch dran täten ihm auch gut. Also machten sie sich auf den Weg in die Richtung, aus der das Licht kam, und sahen es bald heller schimmern und es wurde immer größer, bis sie vor ein hell erleuchtetes Räuberhaus kamen. Der Esel, der der Größte war, näherte sich dem Fenster und schaute hinein.

»Was siehst du, Grauschimmel?«, fragte der Hahn.

»Was ich sehe?«, antwortete der Esel. »Einen gedeckten Tisch mit schönem Essen und Trinken und Räuber sitzen daran und lassen's sich gut gehen.«

»Das wäre was für uns«, sprach der Hahn.

»Ja, ja, ach, könnten wir dort nur herein!«, sagte der Esel.

Da überlegten die Tiere, wie sie es anfangen müssten, um die Räuber hinauszujagen, und hatten schließlich eine Idee. Der Esel musste sich mit den Vorderfüßen auf das Fenster stellen, der Hund sprang auf den Rücken des Esels, die Katze kletterte auf den Hund und schließlich flog der Hahn hinauf und setzte sich der Katze auf den Kopf. Jetzt fingen sie auf ein Zeichen an, ihre Musik zu machen: Der Esel schrie, der Hund bellte, die Katze miaute und der Hahn krähte. Und dann stürzten sie durch das Fenster in die Stube hinein, dass die Scheiben klirrten. Die Räuber fuhren bei dem entsetzlichen Geschrei in die Höhe, glaubten, ein Gespenst käme herein, und flohen in größter Furcht in den Wald hinaus. Nun setzten sich die vier Musikanten an den Tisch, freuten sich an dem, was übrig geblieben war, und aßen, als wenn sie vier Wochen hungern sollten.

Wie die vier fertig waren, machten sie das Licht aus und suchten sich eine Schlafstätte: Der Esel legte sich auf den Mist, der Hund hinter die Tür, die Katze auf den Herd zu der warmen Asche und der Hahn setz-

te sich auf den Hahnenbalken. Und weil sie müde waren von ihrem langen Weg, schliefen sie auch bald ein.

Als Mitternacht vorbei war und die Räuber von weitem sahen, dass kein Licht mehr im Haus brannte und auch alles ruhig schien, bereute der Hauptmann, dass sie sich so hatten ins Bockshorn jagen lassen, und schickte einen Räuber vor, das Haus zu untersuchen. Der Abgeschickte fand alles still und ging in die Küche, um ein Licht anzuzünden. Und weil er die funkelnden Augen der Katze für glühende Kohlen ansah, hielt er ein Streichholz dran, um Feuer zu machen. Aber die Katze verstand keinen Spaß, sprang ihm ins Gesicht, fauchte und kratzte. Da erschrak er gewaltig, lief und wollte zur Hintertür hinaus, aber der Hund, der da lag, sprang auf und biss ihn ins Bein. Und als er über den Hof an dem Mist vorbeirannte, gab ihm der Esel noch einen tüchtigen Schlag mit dem Hinterfuß. Der Hahn aber, der vom Lärm aus dem Schlaf geweckt und munter geworden war, rief vom Balken herab »Kikeriki!«.

Da lief der Räuber, so schnell er konnte, zu seinem Hauptmann zurück und sprach: »Ach, in dem Haus sitzt eine gefährliche Hexe, die hat mich angehaucht und mit ihren langen Fingern mir das Gesicht zerkratzt. Und vor der Tür steht ein Mann mit einem Messer, der hat mir ins Bein gestochen. Und auf dem Hof liegt ein schwarzes Ungetüm, das hat mit einer Holzkeule auf mich losgeschlagen. Und oben auf dem Dach, da sitzt der Richter, der rief: ›Bringt mir den Schelm her.‹ Da bin ich schnell geflohen.« Von nun an trauten sich die Räuber nicht mehr in das Haus. Den vier Bremer Musikanten gefiel's aber so gut darin, dass sie nicht wieder herauswollten.

Sterntaler

Es war einmal ein kleines Mädchen, das hatte keinen Vater und keine Mutter mehr und es war so arm, dass es kein Kämmerchen mehr hatte, worin es wohnen konnte, und kein Bettchen mehr, worin es schlafen konnte, und gar nichts mehr als die Kleider, die es anhatte, und ein Stückchen Brot in der Hand, das ihm jemand geschenkt hatte. Das Mädchen war aber gut und fromm. Und weil es von aller Welt verlassen war, ging es im Vertrauen auf den lieben Gott hinaus ins Feld.

Da begegnete ihm ein armer Mann, der sprach: »Ach, gib mir etwas zu essen, ich bin so hungrig.«

Es reichte ihm das ganze Stückchen Brot und sagte: »Gott segne dir's«, und ging weiter.

Da kam ein Kind, das jammerte und sprach: »Ich friere so am Kopf, schenk mir etwas, womit ich ihn bedecken kann.«

Da zog es seine Mütze ab und gab sie ihm.

Und als es noch eine Weile gegangen war, kam wieder ein Kind und hatte keine Jacke an und fror: Da gab es ihm seine. Und noch weiter, da bat eins um ein Kleid, das gab es auch weg.

Schließlich gelangte es in einen Wald, und es war schon dunkel geworden, da kam noch ein Kind und bat um ein Hemdlein und das fromme Mädchen dachte: Es ist dunkle Nacht, da sieht dich niemand,

du kannst wohl dein Hemd weggeben. Und es zog das Hemd aus und gab es auch noch weg. Und wie es so dastand und gar nichts mehr hatte, fielen auf einmal die Sterne vom Himmel, und es waren lauter harte blanke Taler. Und obwohl es soeben sein Hemdlein weggegeben hatte, so hatte es ein neues an, und das war aus allerfeinstem Leinen. Dahinein sammelte es sich die Taler und war reich bis an sein Lebensende.

Frau Holle

Eine Witwe hatte zwei Töchter, davon war die eine schön und fleißig, die andere hässlich und faul. Sie hatte aber die hässliche und faule, weil sie ihre richtige Tochter war, viel lieber und die andere musste alle Arbeit tun und das Aschenputtel im Haus sein. Das arme Mädchen musste sich täglich an einen Brunnen setzen und so viel spinnen, bis ihm das Blut aus den Fingern tropfte. Nun trug es sich zu, dass die Spule einmal ganz blutig war, da beugte es sich über den Brunnen und wollte sie abwaschen: Sie rutschte ihm aber aus der Hand und fiel hinab. Es weinte, lief zur Stiefmutter und erzählte ihr das Unglück. Diese schalt es aber heftig und sprach: »Hast du die Spule hinunterfallen lassen, so hol sie auch wieder herauf.«

Da ging das Mädchen zu dem Brunnen zurück und wusste nicht, was es tun sollte. Und in seiner Herzensangst sprang es in den Brunnen hinein, um die Spule zu holen. Es verlor die Besinnung, und als es erwachte, war es auf einer schönen Wiese, wo die Sonne schien und tausende von Blumen standen. Das Mädchen ging über die Wiese und kam zu einem Backofen, der war voller Brot.

Das Brot aber rief: »Ach, zieh mich raus, zieh mich raus, sonst verbrenn ich: Ich bin schon längst fertig gebacken.«

Da trat das Mädchen heran und holte mit dem Brotschieber alles nacheinander heraus.

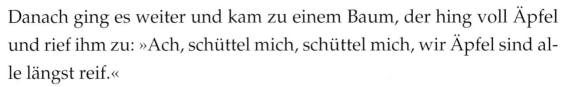

Danach ging es weiter und kam zu einem Baum, der hing voll Äpfel und rief ihm zu: »Ach, schüttel mich, schüttel mich, wir Äpfel sind alle längst reif.«

Da schüttelte das Mädchen den Baum, dass die Äpfel fielen, als regneten sie, und schüttelte, bis keiner mehr oben war. Und als es alle in einen Haufen zusammengelegt hatte, ging es wieder weiter.

Schließlich kam es zu einem kleinen Haus, daraus guckte eine alte Frau. Weil sie aber so unheimlich aussah mit ihren großen Zähnen, bekam es Angst und wollte fortlaufen. Die alte Frau aber rief ihm nach: »Was fürchtest du dich, liebes Kind? Bleib bei mir. Wenn du alle Arbeit im Haus ordentlich tun willst, soll es dir gut gehn. Du musst nur mein Bett gut machen und es fleißig aufschütteln, dass die Federn fliegen, dann schneit es in der Welt – ich bin die Frau Holle.«

Weil die Alte ihm so gut zusprach, so fasste sich das Mädchen ein Herz, willigte ein und blieb bei ihr. Es machte auch alles nach ihrer Zufriedenheit und schüttelte ihr das Bett immer gewaltig auf, dass die Federn wie Schneeflocken umherflogen. Dafür hatte es auch ein gutes Leben bei ihr, kein böses Wort und jeden Tag herrliches Essen.

Nachdem es eine Zeit lang bei der Frau Holle war, wurde es traurig und wusste anfangs selbst nicht, was ihm fehlte. Endlich merkte es, dass es Heimweh war, obwohl es ihm hier tausendmal besser ging als zu Hause. Schließlich sagte es zu der Frau Holle: »Ich habe Sehnsucht nach zu Haus gekriegt, und wenn es mir auch noch so gut hier unten geht, so kann ich doch nicht länger bleiben, ich muss wieder hinauf zu meiner Familie.«

Die Frau Holle sagte: »Es gefällt mir, dass du wieder nach Hause willst, und weil du mir so viel geholfen hast, so will ich dich selbst wieder hinaufbringen.« Sie nahm das Mädchen bei der Hand und führte es vor ein großes Tor. Das Tor wurde geöffnet, und wie das Mädchen gerade darunter stand, fiel ein gewaltiger Goldregen, und alles Gold blieb an ihm hängen, sodass es über und über davon bedeckt war.

»Das sollst du haben, weil du so fleißig gewesen bist«, sprach die Frau Holle und gab ihm auch die Spule wieder, die ihm in den Brunnen gefallen war. Dann wurde das Tor verschlossen und das Mädchen befand sich oben auf der Welt, nicht weit vom Haus seiner Mutter. Und als es in den Hof kam, saß der Hahn auf dem Brunnen und rief:

»Kikeriki,
unsere Goldmarie ist wieder hie.«

Da ging es heim zu seiner Mutter, und weil es so mit Gold bedeckt ankam, wurde es von ihr und der Schwester gut aufgenommen.

Das Mädchen erzählte alles, und als die Mutter hörte, wie die Stieftochter zu dem großen Reichtum gekommen war, wollte es der anderen hässlichen und faulen Tochter gerne dasselbe Glück verschaffen. Also musste sie sich an den Brunnen setzen und spinnen, und damit ihre Spule blutig würde, stach sie sich in die Finger. Dann warf sie die Spule in den Brunnen und sprang selber hinunter. Sie kam, wie die andere, auf die schöne Wiese und ging auf demselben Pfad weiter.

Als sie zu dem Backofen gelangte, schrie das Brot wieder: »Ach, zieh mich raus, zieh mich raus, sonst verbrenn ich, ich bin schon fertig gebacken.«

Die Faule aber antwortete: »Da würde ich mich ja schmutzig machen«, und ging fort.

Bald kam sie zu dem Apfelbaum, der rief: »Ach, schüttel mich, schüttel mich, wir Äpfel sind alle längst reif.«

Sie antwortete aber: »Da könnte mir ja einer auf den Kopf fallen«, und ging einfach weiter. Als sie vor das Haus der Frau Holle kam, fürchte-

te sie sich nicht, weil sie von ihren großen Zähnen schon gehört hatte, und machte sich gleich an die Arbeit. Am ersten Tag bemühte sie sich sehr, war fleißig und hörte auf die Frau Holle, wenn sie ihr etwas sagte, denn sie dachte an das viele Gold, das sie ihr schenken würde. Am zweiten Tag aber fing sie schon an zu faulenzen, am dritten noch mehr, da wollte sie morgens gar nicht aufstehen. Sie schüttelte auch der Frau Holle das Bett nicht, dass die Federn aufflogen. Bald schon hatte die Frau Holle genug und schickte die Faule heim. Die freute sich und meinte, nun würde der Goldregen kommen. Die Frau Holle führte sie auch zu dem Tor, als sie aber darunter stand, wurde statt Gold ein großer Kessel voll Pech ausgeschüttet.

»Das ist zur Belohnung für deine Dienste«, sagte die Frau Holle und schloss das Tor zu.

Da kam die Faule heim, aber sie war ganz mit Pech bedeckt und der Hahn auf dem Brunnen rief:

>   »Kikeriki,
>   unsere Pechmarie ist wieder hie.«

Das Pech aber blieb fest an ihr hängen und wollte, solange sie lebte, nicht abgehen.